# Mi vida como un gamer

Dirección editorial: Cristina Arasa
Coordinación de la colección: Mariana Mendía
Cuidado de la edición: Ariadne Ortega González
Diseño: Javier Morales Soto
Formación: Suheila Habib Habib
Traducción: Sandra Sepúlveda Martín

*Para Christy Ottaviano*

*Mi vida como un gamer*

Título original en inglés: *My Life as a Gamer*

Texto D. R. © 2015, Janet Tashjian
Ilustraciones D. R. © 2015, Jake Tashjian

Editado por Ediciones Castillo por acuerdo con Henry Holt and Company, LLC,
a través de Sandra Bruna Agencia Literaria.

Primera edición: diciembre de 2015
D. R. © 2015, Ediciones Castillo, S. A. de C. V.
Quinta reimpresión: septiembre de 2022
D. R. © 2022, Macmillan Educación, S. A. de C. V.
Castillo ® es una marca registrada.
Macmillan Educación forma parte de Macmillan Education.

Insurgentes Sur 1457, piso 25,
Insurgentes Mixcoac, Benito Juárez,
C. P. 03920, Ciudad de México, México.
Teléfono: 55 5482 2200
Lada sin costo: 800 536 1777
www.edicionescastillo.com

ISBN: 978-607-621-302-5

Miembro de la Cámara Nacional de la Industria Editorial Mexicana.
Registro núm. 3993

Impreso en México / *Printed in Mexico*

# JANET TASHJIAN

Ilustraciones de Jake Tashjian

# Mi vida como un gamer

Traducción de Sandra Sepúlveda Martín

CASTILLO DE LA LECTURA

## Una oferta que no puedo rechazar

**H**ay algo que nadie te advierte sobre los monos: te robarán tu cereal siempre que tengan la oportunidad de hacerlo. Lucky Charms, Cocoa Puffs, Froot Loops, Trix, Gorilla Munch; incluso los más aburridos, como Grape-Nuts, vuelven loco a mi mono capuchino: Frank. Él es como un náufrago que llega al fin a tierra firme y no puede esperar a comerse todo lo que tenga a la vista. No me gusta dejarlo encerrado en su jaula mientras desayuno delante de él cada mañana, pero cuando me animo a dejarlo salir, la cocina termina peor que una zona de guerra multicolor, con hojuelas y migajas por todo el piso. Mi perro, Bodi, es mucho más educado; espera con paciencia a

náufrago

5 ⭐

medida

que yo le sirva la medida exacta de comida y la coloque en su plato cerca del librero.

—¿Qué tal unos *hot cakes* con chispas de chocolate? —pregunta mi papá.

Yo respondo que sí, sobre todo porque así puedo sacar a Frank de su jaula, aunque no es fan de los *hot cakes.*

Mi papá no ha tenido trabajo en los últimos dos meses, por lo que ahora se encarga de la cocina. Ha trabajado como ilustrador de guiones de manera independiente durante décadas, pero la industria del cine está pasando por una mala racha y le ha resultado difícil encontrar un nuevo empleo. Por suerte, mi mamá trabaja como veterinaria, y eso ha ayudado a pagar las cuentas. La parte buena de esto es que mi papá ha comenzado a experimentar con nuevas recetas deliciosas. La mala, que ahora tiene demasiado interés en mi tarea escolar.

experimentar

Desde que era pequeño, la única forma que he encontrado para aprenderme las palabras complicadas del vocabulario ha sido dibujarlas. Tengo cuadernos y cuadernos llenos de ilustraciones de figuras de palo actuando todas las palabras que me han enseñado en la escuela. Mis papás siempre han supervisado mi trabajo; sin embargo, últimamente mi padre revisa cada dibujo bajo un microscopio.

revisar

—¿Estás seguro de que ésa es la mejor definición de "investigar"? —pasa un dedo sobre mi ilustración.

—¿No deberíamos añadirle más chispas de chocolate a la masa? —le pregunto cambiando de tema.

microscopio

Mi papá lanza otro puñado de chispas en el tazón.

—Si quieres seguir con tu arte, tienes que lograr que todos los detalles queden bien. Créeme, lo sé por experiencia.

Ahora pienso que hubiera sido mejor comer cereal. Barrer un poco de Capitán Crunch del suelo es diez veces mejor que escuchar a papá reflexionar sobre sus trabajos antiguos. Espero que consiga uno nuevo pronto, aunque voy a extrañar los *hot cakes,* pero no las historias tristes.

reflexionar

—Por cierto, olvidé decirte —de pronto dice papá—, recibí un correo de uno de los creativos de Global Games; trabajé un poco con ellos el año pasado. Me preguntó si conozco niños interesados en probar su nuevo programa —coloca tres *hot cakes* sobre mi plato.

—¿Están buscando niños para probar sus videojuegos? —pregunto.

Papá se sirve una segunda taza de café.

—¿Eso significa que te interesa?

Ni siquiera me tomo el tiempo de ponerles miel, sólo enrollo los *hot cakes* como si fueran un taco, le grito adiós a mi papá y corro lleno de emoción a la escuela para darles la noticia a mis amigos.

emoción

—¡Vamos a probar videojuegos!

## Mis amigos enloquecen

La sola mención de que estaremos en un grupo que probará videojuegos hace que Matt brinque de la emoción. Está hablando tan fuerte y rápido que la señora Miller se asoma desde su salón de clase para pedirle que guarde silencio. Matt baja la voz, pero sigue emocionado.

secreto

—¿Quieren que probemos los juegos antes de lanzarlos a la venta? Seguro van a encerrarnos en una habitación secreta y firmaremos un contrato comprometiéndonos a mantener la información confidencial —susurra tan cerca de mi cara que puedo oler su pasta de dientes de menta—. Espera a que Umberto se entere de esto. Y Carly también.

menta

hiena

—¿Se entere de qué?

Matt y yo volteamos al escuchar la voz de Carly, que está parada detrás de nosotros. Trae su camiseta del campamento de surf con una hiena sobre una ola gigante. Matt gesticula para que le cuente las noticias a Carly, y así lo hago. En cuanto termino, Umberto se acerca en su silla de ruedas y repito la historia otra vez.

No sé cómo se sienten mis amigos, pero yo no logro concentrarme en las clases durante el resto del día (no es que sea bueno concentrándome alguna vez). La señorita McCoddle lidera un animado debate acerca de la Revolución Americana, pero apenas escucho las palabras que salen de su boca. "¿Y si nos dejan ayudarlos a nombrar el nuevo videojuego? ¿Pondrían nuestro nombre en los créditos?", pienso.

—¿Qué opinas, Derek?

Cuando salgo de mi ensueño, la señorita McCoddle está a mi lado.

—Eh... ¿la gente de Boston quería café en vez de té?

Rezo para que mi respuesta esté ligada de alguna manera a lo que mis compañeros han estado discutiendo, aunque por la expresión de la señorita McCoddle, veo que no es así.

Ella cruza los brazos frente a su pecho. Parece un árbitro enojado con su camisa a rayas blancas y negras.

árbitro

—No, Derek. Paul Revere era un platero. Aunque quizá le gustaba pasar el rato en algún Starbucks tomando un poco del café que acabas de mencionar —varios de mis compañeros ríen, así que la señorita McCoddle continúa—. ¿Crees que a Paul Revere le gustaba el expreso o prefería los *frappuccinos?*

platero

Lo único que quiero es que mi maestra camine de regreso a su escritorio, pero por supuesto no lo hace.

Así que entonces Matt interviene para rescatarme.

—Paul Revere necesitaba cafeína para hacer ese paseo nocturno.

cafeína

Umberto niega con la cabeza porque me cacharon distraído otra vez. Carly se ríe mientras Matt continúa su perorata de: "¡Ya vienen los británicos!". La señorita McCoddle arquea una ceja y se aleja por fin, lo cual es grandioso porque quiero seguir pensando en nuevos videojuegos.

perorata

# Aquí viene a arruinarme el día

**M**i mamá sólo quiere hablar sobre la visita que hizo esta tarde para atender a dos pavorreales enfermos. En su práctica veterinaria casi nunca trabaja con animales exóticos, así que no desaprovecha ninguna oportunidad de examinar a un lince o a un lémur.

Yo quiero hablar sobre Global Games, pero mi mamá está decidida a acaparar la conversación por completo.

—Tienen pavorreales en la granja para calmar a los caballos. No sé si es por su color o por su plumaje, pero funciona —mira a través de la ventana de la cocina con expresión soñadora—. Los pavorreales tienen un azul tan hermoso.

soñadora

A veces siento que paso toda la vida escuchando a los adultos hablar, sobre cosas que no me interesan. En una escala mental, trato de decidir qué tema es más aburrido: los pavorreales de mamá o Paul Revere. Mientras mi mamá sigue hablando me imagino a Paul Revere montando un pavorreal por las calles de Boston, advirtiendo sobre la llegada de los británicos. Bodi también debe haberse aburrido con la plática de mi mamá, porque se acurruca junto a mi pierna bajo la mesa.

hablar

Cuando estoy a punto de interrumpir la historia de mi mamá, ella cambia de tema abruptamente.

—Papá dice que es hora de conseguir un nuevo tutor de lectura y me parece que tiene razón.

—Bueno, entonces supongo que deberían conseguirse uno —le respondo.

—Muy gracioso, Derek, pero sospecho que se refería a un tutor para ti.

Si las cuento, en mi vida he tenido más tutoras para ayudarme con mis dificultades de lectura que niñeras. El año pasado, durante una tarde aburrida, hice una lista y las califiqué desde la número 1 (Kimberly,

pasarela

aporrear

quien parecía modelo de pasarela) a la número 12 (la señora Gainesville, quien olía a naftalina). La idea de añadir un nuevo nombre a la lista me provoca ganas de aporrearme a mí mismo con el mazo que mi mamá utiliza para aplanar las pechugas de pollo. Estoy a punto de protestar de manera ruidosa cuando me muestra una foto en su teléfono.

—Se llama Hannah. Estudia Ciencias Políticas en la UCLA y apoya a varios chicos de tu edad en su lectura. Tiene muy buenas referencias.

Miro la foto, sin enfocarme en la sonrisa o las gafas negras de la chica, sino en su camiseta de Pac-Man, tema que relaciono para contarle de los videojuegos.

—Suena genial —dice ella—. ¿Crees que tus amigos también puedan unirse al grupo de prueba?

Le digo que eso espero.

—Suena divertido, pero primero debes conocer a Hannah y empezar a trabajar en tu lectura.

"¿Dónde está ese mazo?", pienso.

## Los detalles

Decir que fastidio a mi papá para que llame a su colega en Global Games es minimizar lo que hago. Primero se lo pido cada diez minutos, luego le mando un mensaje de texto cada cinco. Cuando deja de responderme, sé que tengo que ser más creativo, así que utilizo mis plumones para diseñar una pancarta gigante que dice: ESTAMOS LISTOS PARA PROBAR VIDEOJUEGOS. Cuando eso no funciona, saco las baterías de todos los controles remotos, con la certeza de que papá abrirá el cajón de los cachivaches para conseguir otras. Cuando abre el cajón, un largo acordeón de papel cae, que dice: ¡POR FAVOR! Me sorprende que esa estrategia tampoco funcione, así que

receta

escribo con un jabón en el parabrisas de su auto. Por desgracia, uso el jabón especial para eczema de mi mamá, que sólo se puede comprar con receta médica. Peor aún, luego sé que cada barra de jabón vale muy cara. Me cuesta trabajo decidir cuál de los dos está más enojado. Cuando me encaran juntos, decreto que hay un empate por el primer lugar.

—No estoy segura de que participar en la prueba de videojuegos esté en tu futuro —comienza a decir mi mamá.

Papá me lanza una esponja.

—Te diré lo que sí está en tu futuro: lavar mi auto.

Frank atrapa la esponja y comienza a lanzarla en el aire. Se la quito de las manos antes de que trate de comérsela.

rogar

problema

—Participar en el grupo de prueba me ayudará a practicar varios tipos de habilidades —les ruego y pienso en una nueva manera de salir del problema—. Tendré que leer muchas cosas, como manuales e instructivos. Será como tener meses de tutoría gratis —esto último es una apelación directa a mi mamá, la más grande cazadora de ofertas que conozco. Una vez la vi maniobrar el auto a través de varios carriles llenos de tránsito sólo porque vio sus zuecos favoritos en oferta.

oferta

Me muerdo la lengua y espero su decisión. Ambos se miran, mi mamá deja escapar un largo suspiro.

—Puedes inscribirte al grupo de prueba si, y sólo si, te comprometes a trabajar en tu lectura.

Estoy a punto de marcharme cuando mi papá me detiene en la puerta.

—La cubeta está en el *garage*. Y no te olvides de la esponja —trato de sacar a Frank de su jaula para que me "ayude", pero mi mamá lo encierra de nuevo. Sería más divertido lavar el coche con mi mono, pero no me puedo quejar.

¡Videojuegos, ahí les voy!

# Umberto es el favorito

fastidiar

Mis amigos me fastidian diez veces más de lo que yo fastidié a mi papá para saber más sobre el grupo de prueba. Por eso me siento tan feliz, y aliviado a la vez, cuando por fin tengo la información para compartirla con ellos.

—El amigo de mi papá dice que la primera sesión será este sábado, de diez a tres.

—¡Voy a patear muchos traseros en ese juego! —Matt está demasiado confiado, sobre todo porque no sabemos quién más estará allí.

confiado

Carly niega con la cabeza.

—Olvidas lo buena que soy en *FarmVille* —le responde ella—, tú ni siquiera pudiste descubrir cómo cultivar la tierra.

Umberto interrumpe.

—Yo he estado diseñando aplicaciones de juegos durante todo el año en mi clase extracurricular de computación. Sé cómo piensan estos programadores.

derrotar

De pronto caigo en la cuenta de que los tres amigos que invité a acompañarme podrían derrotarme fácilmente con sus habilidades de juego. Por un instante me siento tentado a retirarles la invitación, pero sé que me cubrirían con alquitrán y plumas si lo hago. Así que tengo que acostumbrarme al hecho de que quizá seré el último de la manada otra vez.

—Oye, Derek —dice Matt, sonriendo—, ¿no te parece gracioso que tú y yo estaremos en un grupo de prueba?

Pensaría que se está burlando de mí, pero lo que dice es cierto. Nadie odia tanto las pruebas y los exámenes como nosotros.

Extiendo mi mano, pidiéndole el teléfono a Umberto para ver la nueva aplicación que acaba de terminar. Los cuatro hemos pasado horas jugando su primera aplicación, un juego de bolos muy divertido. Esta nueva aplicación es de un guerrero samurái que corta rodajas de *pepperoni* a toda

sable

malévolo

velocidad con un sable, y las arroja sobre la masa de las *pizzas,* con el fin de evitar a unos ralladores de queso malévolos.

—Eres muy bueno en esto —le digo a Umberto mientras deslizo mi dedo sobre la pantalla—. Tal vez consigas un trabajo en Global Games algún día.

Matt está de acuerdo. Carly piensa en otra cosa y busca entre los papeles de su carpeta (que está organizada y codificada por colores, por supuesto).

—Por cierto, hablando de pruebas, los exámenes estatales serán en dos semanas —nos dice—. Tendremos que ponernos a estudiar en serio.

Matt, Umberto y yo la observamos sin comprender las palabras que salen de su boca. ¿Estamos hablando de videojuegos y de pronto ella menciona las pruebas estatales?

—No estoy bromeando —continúa—; esos exámenes son asunto serio.

—¡Qué aguafiestas eres! —exclama Matt—. ¡Vamos a probar videojuegos este sábado!

Carly regresa los papeles a su mochila. Al caminar hacia la siguiente clase, me lanza una mirada por el rabillo del ojo, y sé que mencionó los exámenes estatales pensando en mí. Carly siempre se ha preocupado por mí. Ha tratado de ayudarme a estudiar antes, pero nuestras sesiones de tutoría siempre terminaban en frustración mutua.

mutuo

Odio admitirlo, pero yo igual he pensado en los exámenes estatales desde que la señorita McCoddle los mencionó hace un par de semanas (sí, a veces sí presto atención a lo que dice). Tal vez mis papás tienen razón y es momento de conseguir una nueva tutora de lectura, siempre y cuando eso no me quite tiempo de mi prioridad número uno: probar videojuegos.

## Preocupado por papá

salpicado

uando llego a casa después de clases, me sorprendo al encontrar una lona, cubetas de pegamento y rodillos en el suelo de la cocina.

La mitad de las paredes de la cocina están cubiertas por un nuevo papel tapiz con caballitos de mar azules y burbujas de colores. La camiseta y los *jeans* de mi papá están salpicados de pegamento.

—Papá... ¿Mamá sabe acerca de esto? —pregunto.

—Es una sorpresa —responde papá—, nunca le gustaron esas aburridas paredes de color *beige*.

Señalo uno de los caballitos de mar, cuya cabeza y cola no están bien alineados.

—Creo que éste es un papel tapiz para un baño —le digo.

—Por supuesto que lo es —responde papá—, pero ya sabes que tu mamá adora lo impredecible.

Mamá quizá disfruta lo impredecible en lo que respecta a usar zapatos extravagantes y curar pavorreales, pero no sé qué va a opinar sobre tener que mirar caballitos de mar desiguales mientras prepara una lasaña.

lasaña

—¿Y cómo va la búsqueda de trabajo? —pregunto.

Mi papá embarra una hoja de papel tapiz con pegamento.

embarra

—Bien. Muchos clientes potenciales.

Mi mamá entra con tres bolsas de compras en los brazos. Una larga *baguette* se asoma de una de las bolsas, casi choca con su boca, y me pregunto cómo llegó desde el auto hasta aquí sin mordisquearla un poco. Mira a su alrededor, ve la cocina hecha un desastre y luego le sonríe con cariño a mi papá.

baguette

—¡Jeremy, qué divertido!

Mi papá extiende los brazos mientras le presume su trabajo.

mordisquear

doblez

—La cocina se verá genial una vez que recoja todo —se limpia las manos en los *jeans* y va por el resto de las compras. Antes de que pueda decir nada, mi mamá pasa la mano por encima del doblez torcido del papel tapiz.

—¿Caballos de mar en la cocina? Tu papá necesita conseguir un trabajo pronto.

Por una vez, mi mamá y yo estamos de acuerdo.

Mamá desempaca la comida y me informa que Hannah está en camino para nuestra primera sesión de lectura.

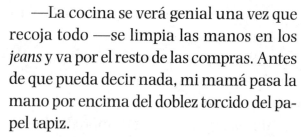

—¡Pero no la hemos entrevistado!

—La entrevisté mientras estabas en la escuela —dice mamá—; está muy calificada —mamá acomoda varias bolsas de pasta en la alacena—. Si no te gusta, podemos conseguir a alguien más.

calificado

Mi táctica habitual sería discutir, pero tengo la esperanza de que Hannah sea una buena tutora. Sé que no se debe juzgar un libro por su portada, pero nadie dijo nada sobre juzgar a la gente por sus camisetas. Sin mencionar el hecho de que necesito toda la ayuda que pueda conseguir si quiero pasar esos exámenes estatales.

Mi papá reanuda su trabajo en la cocina; mi mamá le da unas palabras de aliento, pero luego huye a su oficina a un lado de la casa para no tener que presenciar el caos de nuestra cocina.

Le pregunto a mi papá si puedo sacar a Frank de su jaula, pero los dos sabemos que podría causar problemas entre tanto desorden. En vez de eso dejo que Bodi salga del estudio, saco una rebanada sobrante de pavo del refrigerador y me dirijo hacia el patio trasero. Tengo una hora antes de que llegue la nueva tutora, así que me acomodo en mi lugar favorito cerca del jazmín para disfrutar de mi actividad preferida: sentarme con mi perro, sin hacer nada.

desorden

disfrutar

## Tutora número 13

La chica me extiende una mano para saludarme en la puerta de la entrada.

—Mi nombre es Hannah Yee, pero puedes llamarme Hannah Banana.

—¿Tengo que hacerlo?

—Mi última estudiante me llamaba así —dice y se ríe.

—¿Tenía tres años?

Se ríe de nuevo, quizá demasiado fuerte para la calidad de mi broma.

—No. Tenía dieciséis y pasó todos sus exámenes. Te gustaría ser como ella.

Hannah es la única persona que he visto en mi vida que usa tirantes de verdad, pero sus tenis son los mismos que usan los pros en las patinetas, así que debe ser *cool*.

tirantes

De hecho, me doy cuenta de que podría ser mi amiga.

—¡Guau! ¿Quién es él? —el rostro de Hannah se ilumina cuando vislumbra a Frank, y me rebasa para llegar a su jaula en la cocina.

Le explico que somos la familia temporal de Frank y que él vive con nosotros hasta que sea momento de enviarlo a la "universidad de monos". Antes de que pueda preguntarme qué es la universidad de monos, le digo que Frank proviene de una asociación en Boston que entrena monos capuchinos para ayudar a personas con discapacidad.

Me mira con desaprobación.

—Estás bromeando, ¿verdad?

Hannah no es la primera persona que no cree en las habilidades de Frank.

Lo saco de su jaula y lo llevo a la sala.

—DVD —le digo.

Frank corre obedientemente al reproductor de DVD y presiona el botón que abre la bandeja.

Entonces Hannah se cubre la boca con las manos, muy sorprendida por la destreza de Frank.

desaprobación

destreza

—Mira esto —le digo a ella y luego me dirijo a Frank—. Adentro.

Frank toma un DVD del montón y lo inserta en el reproductor.

Hannah parece confundida.

—¿No dijiste que aprendería a hacer esto en la universidad de monos?

Me enorgullezco ante mi respuesta.

—Decidí que, ya que vive con nosotros, bien podría aprender cosas desde ahora —de pronto se me ocurre que algunos de mis compañeros de clase seguro hacen algo similar, pero ellos tratan de adelantar todo lo que pueden del trabajo escolar para no quedar rezagados como yo. ¿Por qué le enseño mejores técnicas de estudio a mi mono de las que yo mismo tengo?

Hannah me pide que le muestre todos los trucos que Frank hace, como desenroscar la tapa de una botella de agua, así como encender y apagar el interruptor de luz. Mi mamá, como siempre, llega a frustrar la diversión.

—¿Se están preparando para trabajar? —viste con su uniforme quirúrgico, por lo que doy por hecho que estará en cirugía todo el día.

Hannah le asegura a mi mamá que trajo toneladas de trabajo y no puede esperar para empezar.

Al oír la palabra "toneladas", me aproximo de puntitas hacia la puerta trasera con Frank, pero mi mamá, siempre vigilante, me atrapa por el codo y regresa a Frank a su jaula, mientras Hannah extiende un montón de papeles sobre la mesa.

vigilante

—Esto será divertido —dice Hannah y aplaude un poco, como para enfatizar su punto.

¡Grandioso!

Resulta que yo soy el mono entrenado.

## Por fin es sábado

triste

aderezar

**M**e levanto temprano para estar un rato con Frank antes de que mamá empiece a regañar y a dar órdenes. Esto significa que tengo que cambiarle el pañal, pero está tan feliz de verme que no me importa en absoluto. Saco a Bodi a hacer del baño, pero se distrae con una ardilla, y acabamos pasando veinte minutos fuera. Cuando volvemos a la casa, mi papá está preparando burritos con huevos revueltos, frijoles negros y arroz. Parece que se pone un poco triste cuando aderezo su obra maestra con salsa cátsup.

Desde que no tiene trabajo, papá se ha dejado crecer la barba, y puedo intuir que a mi mamá no le encanta la idea, pero lo único que importa es que hoy nos llevará a mis amigos y a mí a Global Games. El grupo de prueba se realizará en uno de los estudios de cine. Cuando llegamos a Culver City, Umberto está estacionándose con Bill en su furgoneta especial para silla de ruedas. Hay tanta gente en el estacionamiento que me parece que podría explotar en cualquier momento.

especial

Antes de irse, mi papá nos mira con esa "cara seria de papá" que a veces pone y nos dice:

—Pregunten por Tom cuando estén adentro. Y no hace falta que les diga que se comporten, pues conozco a esta gente.

Prometemos que mostraremos nuestro mejor comportamiento.

He venido a este estudio antes, pero mis amigos no.

Carly no puede cerrar la boca mientras caminamos por el plató en el que filman *Jeopardy.*

plató

—¡Guau! —Umberto no está impresionado por los estudios de series, sino por la gran fila afuera del edificio a donde vamos y deja escapar un largo suspiro—. No pensé que habría tantos chicos.

Carly hace un cálculo rápido y nos informa que hay casi cincuenta chicos antes que nosotros.

—¿Y si no nos eligen?

competencia

Matt le dice que no se preocupe, que su papá se encargó de todo, pero tal vez el nombre de su papá no tiene tanto peso en Global Games como piensa, y ni pasaremos la primera ronda. Podría ser como en uno de esos *reality shows* donde los concursantes son eliminados antes de que siquiera empiece la competencia. Matt se dice a sí mismo que no debe inquietarse, pero no puede evitarlo.

inquietarse

Matt toma la iniciativa y se dirige al frente de la fila para preguntar si Tom está por ahí. Un tipo con un acceso oficial a Global Games le dice que Tom está adentro y le entrega a Matt unos folletos para que leamos mientras esperamos en la fila. En vez de leerlos, nos entretenemos inventando historias sobre los chicos que están delante de nosotros.

acceso

—¿Ven a esos tres chicos con camisetas del juego de Ralph el Demoledor? —nos pregunta Umberto—. Son trillizos que se mudaron a Hollywood desde Alemania para buscar la fama. Hablan entre ellos en voces tontas de personajes mientras juegan videojuegos.

—Esa chica con las coletas y la mochila de X-Men no quiere estar aquí —digo yo—; sus papás la obligan a practicar videojuegos como castigo cuando no ordena su habitación.

—El chico del casco espacial dorado es el jugador número uno de PlayStation del mundo —dice Carly.

Los tres nos apresuramos a corregirla.

—El número uno de PlayStation en el planeta es El Cid —le aclaro—. Nadie lo ha visto nunca.

Carly señala una foto en el folleto que nos dio Matt (ella, por supuesto, fue la única que lo leyó).

—Él es El Cid. Global Games lo invitó para probar el videojuego.

Matt y yo saltamos sobre la parte posterior de la silla de ruedas de Umberto para ver mejor.

Nadie conoce la verdadera identidad de El Cid, al parecer quiere mantenerse así, oculto tras su casco espacial dorado, su capa y sus guantes.

identidad

—Cualquier *gamer* que se precie conoce la reputación de El Cid —dice Umberto—. Si él está aquí, no tenemos oportunidad.

—Quizá quieren probar el juego con chicos normales también —sugiero—. No diseñan videojuegos sólo para genios.

—Si El Cid es un genio, entonces de seguro es una chica —dice Carly.

—Podría ser, pero no lo es —asegura Umberto—. El Cid es un chico peruano de veinte años que entró al MIT cuando tenía sólo diecisiete. El resto es un misterio.

La fila avanza muy lento hasta que llegamos a la puerta grande de metal que lleva a la Tierra Prometida. Le damos nuestros nombres a una persona y nos anota sin mucha fanfarria. Supongo que era una tontería pensar que recibiríamos trato especial sólo porque mi papá hizo los gráficos de algunos guiones de videojuegos el año pasado.

fanfarria

Sin embargo, un tipo con una gorra de beisbol de Global Games me muestra que estoy equivocado.

—¡Eres el hijo de Jeremy! —se presenta como Tom y habla sin parar de lo increíble que es mi papá—. Es tan gracioso —añade

Tom—; la última vez que estuvo aquí nos tenía a todos en el suelo. Literal, en el suelo, llorando de risa.

Yo describiría a mi papá como medianamente gracioso, no como el comediante genial que Tom describe ahora. Matt empieza a adular a Tom uniéndosele para contar historias de lo hilarante que es mi papá. Trato de no hacer cara de asco ante el intento tan obvio de Matt de lisonjear a uno de los organizadores del evento. Al mirar a Carly, noto que sonríe. Es uno de sus atributos: nada se le escapa.

hilarante

Umberto rueda hacia El Cid para decirle que es su seguidor, pero lo único que consigue es un gesto con la cabeza. Mientras está haciendo eso, Matt y yo fingimos que somos magos, y desaparecemos cuatro donas del bufet en menos de un minuto. Al otro lado de la habitación, Carly nos mira con disgusto, lo cual sugiere que dejemos de inhalar la comida gratis, así que tomo una servilleta y le pongo atención a Tom, quien intenta tranquilizar a todos.

inhalar

Mira a su alrededor, saca un silbato y lo sopla muy fuerte.

—¡A jugar!

# ¿Un examen?

Tom nos divide en grupos de tres, lo que significa que uno de nosotros debe unirse a otro grupo.

Umberto, Matt y yo observamos a Carly, quien nos lanza una mirada asesina antes de ir al centro de la habitación.

—¿Creen que imagine que nos aliamos contra ella? —pregunto.

—No, no más que otras veces —responde Matt.

Umberto apenas puede hablar al ver lo que sucede cerca de nosotros.

—¡Miren quién está con Carly!

Volteamos y la vemos sonriendo como el gato que se comió al canario, mientras se sienta al lado de El Cid.

—¡Yo podría estar en su lugar! —exclama Umberto.

—O yo —agrega Matt.

—Tal vez nos lo merecemos por abandonarla —no puedo evitar sentir un poco de culpa por la forma en que a veces tomamos ventaja de Carly.

ventaja

—Quizá le dé algunos buenos consejos —dice Umberto con voz esperanzada.

Un pasante reparte manuales de juego entre nosotros. Éstos son más gruesos que la Sección Amarilla de Los Ángeles, que mi mamá insiste en conservar a pesar de que nunca la usamos.

—¿Tenemos que leer esto? —pregunto.

Un chico de la mesa de al lado, quien tiene una bufanda cursi atada alrededor del cuello, me mira y se burla.

origami

—Jaja, estás en un taller de origami. ¡Arranca las hojas y empieza a doblarlas!

Todo el mundo se ríe y puedo sentir que mis mejillas se sonrojan.

—Fue un poco gracioso —admite Matt.

Me siento mejor cuando Tom continúa.

—Ustedes, chicos afortunados, serán los primeros en el universo en jugar nuestro nuevo videojuego —levanta el paño

universo

gráfico

hábitat

negro que cubre un pizarrón al frente de la habitación—. ¡Saluden a *Arctic Ninja!*

Todos en la sala dejamos escapar un gigantesco: "¡Oooh!".

—Si todos los gráficos son tan buenos como ése, ¡el juego será increíble! —dice Umberto.

En efecto, las imágenes que cubren el pizarrón están llenas de detalles intrincados de paisajes exóticos y exuberantes colores. He jugado un montón de videojuegos que suceden en escenarios diferentes, pero el increíble hábitat de este mundo no se parece a nada que haya visto antes.

—Así que, primero lean su manual y, después de terminar el examen al final del libro, ¡estarán listos para jugar!

—¿Dijo examen? —le susurro a Matt—. Nadie nos dijo nada sobre un examen.

—¡En un sábado! —añade él.

Sin embargo, cuando miro alrededor de la habitación, todos los demás ya empezaron a leer. Algunos están pasando las páginas tan rápido que me pregunto si hay un ventilador cerca. Umberto va en la página seis antes de que yo pueda terminar de leer el primer párrafo.

Creí que en el grupo de prueba podría descansar de la lectura; que estaría en un lugar donde no me sentiría diez pasos atrás de los otros. Pensé que quizá podría ser bueno para algo. Cada vez me queda más claro que debo acostumbrarme a estar en el peldaño más bajo de la escalera, no sólo en la escuela, sino en la vida.

Aunque se encuentra en la mesa de al lado, las habilidades telepáticas de Carly funcionan a la perfección. Cuando levanto la mirada me doy cuenta de que me observa con su cara de "¿estás bien?". Aprecio su apoyo constante. Ojalá no lo necesitara tan seguido.

constante

Empiezo a hacer lo mismo de siempre: paso las páginas para ver qué tan largo es el manual.

¡Noventa y siete páginas! En mi caso, la luz al final del túnel es un tren.

—Ya no hay nada que hacer —aclara Umberto, alentador—, es mejor que empieces a leer si quieres jugar.

Tiene razón. Me agazapo y leo.

agazaparse

Horas después, veo en el reloj que sólo han pasado diez minutos.

Parece que será un largo día.

## Carly nos sorprende

admitir

cuenta
regresiva

rellenar

*C*uando finalmente hacemos una pausa para almorzar, me siento horrorizado al descubrir que mis amigos ya acabaron el examen y pueden pasar a la sala de videojuegos. Finjo que yo también, sin admitir que aún me faltan cincuenta páginas (llevo la cuenta de cada página, como la cuenta regresiva de Año Nuevo).

Apilamos nuestros platos con macarrones con queso, ensalada y alitas de pollo, y rellenamos nuestros vasos de limonada varias veces. Me dirijo a la mesa con los demás, cuando Tom me habla.

—Tengo la impresión de que el manual te está costando bastante de trabajo, ¿verdad? —me dice.

No sabía que mi discapacidad lectora era evidente, como una fractura en la pierna que puede verse desde el exterior.

—No te preocupes —continúa Tom—, estoy seguro de que has leído lo suficiente para unirte al resto del grupo.

Le doy las gracias a Tom, pero por dentro pienso que si el manual no era tan importante, ¿por qué tenemos que leerlo en primer lugar? Luego me doy cuenta de que enojarme sería una gran pérdida de tiempo, así que decido sentirme agradecido por el indulto.

indulto

Cuando me aproximo con mis amigos, todos están mirando hacia la mesa cerca de la puerta.

—El Cid tiene que comer en algún momento —me explica Umberto—. Estamos esperando a que se quite el casco.

No somos los únicos observando a la leyenda de los videojuegos; la mayoría de los que están en la cafetería también miran a El Cid. La habitación entera suspira cuando El Cid se levanta, toma su bandeja y camina fuera de la habitación.

conferencia

—De seguro comerá en una de las salas de conferencias —sugiere Matt, mientras mordisquea sus alitas de pollo—, o tal vez en uno de los baños.

Carly cubre el enorme montón de huesos que deja Matt con una servilleta para no tener que mirar los restos.

restos

—La compañía le prestó uno de los comedores privados —dice ella—. Quieren ayudarlo a esconder su identidad.

privado

Es extraño que Carly ahora tenga la primicia, pues no le gustaban los videojuegos hasta que empezó a juntarse con nosotros.

—No actúes como si fueras la nueva mejor amiga de El Cid —le digo—; seguro ni siquiera hablaste con él.

Carly me sonríe con sarcasmo y luego me muestra su teléfono.

—Entonces, ¿por qué me acaba de enviar un mensaje de texto?

entrante

—¿Qué? —Umberto, Matt y yo tratamos de arrebatarle el teléfono, pero Carly se aleja y lee el texto entrante.

—El Cid dice que los macarrones con queso saben a pegamento —Carly teclea una respuesta, mientras los tres la miramos asombrados—. Les vendría bien un poco de tocino —dice mientras teclea—. El tocino hace que todo sepa mejor.

asombro

Le pregunto a Matt y a Umberto:

—¿Por qué Carly siempre está diez pasos por delante de nosotros?

Matt me mira como si una serpiente pitón se deslizara fuera de mi oreja.

deslizarse

—Porque es una chica. Ellas siempre nos patean el trasero. Acostúmbrate.

—¿Terminaron de comer? —pregunta Tom un poco más tarde desde el frente de la habitación—. ¡Su nuevo juego de Global Games los espera!

Vaciamos nuestras bandejas en la basura y vamos hacia las puertas dobles a un lado de la habitación.

Ya pasaron tres horas desde que llegamos, y mis manos están desesperadas por tomar un control.

control

La habitación es enorme, llena de largas hileras de mesas. Cada una tiene diez asientos y el mismo número de monitores de primera calidad con su propia consola. Si Navidad, Janucá, Halloween, las vacaciones de verano y mi cumpleaños se transformaran de repente en una habitación, sería exactamente así.

—No quiero volver a casa nunca más —declara Matt.

—Voy a traer mi saco de dormir el próximo fin de semana —dice Umberto—. Van a tener que sacarme de aquí a la fuerza.

Carly toma unas fotos con su teléfono hasta que un pasante se acerca corriendo y le dice que no podemos tomar fotografías.

fotografías

Carly casi nunca se mete en problemas, así que por eso resulta divertido ver su reacción las pocas veces que sucede.

—Sólo iba a mostrarle el diseño de la habitación a la señora Kimball, mi profesora —se queja Carly—. No pretendía espiar su videojuego.

desenmascarar

—Quizá también puedas desenmascarar a tu nuevo novio El Cid —le sugiero.

—¡No es mi novio!

—¿Estás segura? —Umberto señala al otro lado de la habitación, desde donde El Cid le hace señas a Carly. Ella se aleja molesta para unirse a la leyenda, dejándonos a los tres perdedores.

## Lo que puedo decir

La buena noticia es que *Arctic Ninja* es, sin duda, el juego más maravilloso que mis amigos y yo hemos jugado en nuestras vidas. Es increíble. La mala noticia es que no podemos contarle a nadie al respecto.

Evado a cualquiera que quiera preguntarme, porque no puedo decirle nada a nadie, excepto a mi papá, quien platicó con Tom sobre *Arctic Ninja* esta semana.

—¿Cuál es tu parte favorita del juego? —pregunta papá mientras conduce hacia la ferretería, pues su nuevo proyecto consiste en sustituir todos los picaportes de las puertas en casa.

—Es muy difícil elegir sólo una parte —le respondo.

narval

bombardeo

portal

sanguinario

Me pide que le cuente lo que sé sobre el juego hasta ahora.

—Hay un narval llamado Skippy que sabe artes marciales. Tiene que nadar a través de catorce niveles mientras es bombardeado por carámbanos mortales que le arroja un dron desde el cielo. Si logras salir del iglú lleno de trampas, descubres un portal que conduce a mundos diferentes. Mientras estás bajo ataque constante, tienes que encontrar un código secreto y descifrarlo antes de que los *lemmings* lo hagan. Además, hay un muñeco de nieve sanguinario que aparece de repente. ¡Ah! y un cuerno de narval es muy codiciado por los cazadores furtivos, así que hay muchos de ellos por ahí. Además, la música de fondo es muy pegajosa y nunca podrás sacarla de tu cabeza —mi papá sonríe—. Y eso sólo es el primer nivel.

Hablar sobre *Arctic Ninja* compensa el hecho de que a papá le toma cuarenta y cinco minutos escoger los picaportes.

Leíste bien. Cuarenta y cinco minutos.

## El sábado
## se ve tan lejos

Como un chico normal de doce años, paso la mayor parte del tiempo aguardando desesperadamente que llegue el fin de semana; cuento cada día de escuela, cada tarea doméstica o tarea escolar hasta que el sábado llega al fin. Pero desde que me uní al grupo de videojuegos, es como si el mundo se moviera en cámara lenta y arrastrara cada minuto de escuela. Esto me provoca ganas de gritar y el hecho de que las pruebas estatales se estén acercando sólo empeora las cosas.

—Pasaremos mucho tiempo preparándonos para estas pruebas. Sin embargo, estoy segura de que todos ustedes lo harán muy bien.

paranoico

Admito que puedo ser muy paranoico cuando se trata de un examen, pero tengo la impresión de que el discurso de la señorita McCoddle contiene algunos mensajes cifrados para mí.

—Vale la pena prepararse bien —continúa—, eso significa que por un pequeño periodo algunas cosas tendrán que esperar, como los deportes, las clases de música, las patinetas, los mensajes de texto, los videojuegos. Todas estas cosas pueden parecer importantes.

—Porque lo son —interrumpe Matt.

—Sin embargo, estas pruebas también —la señorita McCoddle golpea el escritorio de Matt con los nudillos, como si eso le diera la última palabra.

—Estoy casi seguro de que se dirigía a mí —le digo a Carly después de clase.

—No eres el único chico que tiene una patineta y juega videojuegos. Además, no tomas clases de música. Yo sí —Carly de repente parece preocupada—. ¿Crees que la señorita McCoddle se refería a mí?

—No lo sé, lo único que sé es que estas pruebas no se interpondrán en el camino de *Arctic Ninja*.

Carly se coloca rápidamente delante de mí para conseguir toda mi atención.

—Derek, sé lo difícil que es estudiar para ti, pero tendrás que esforzarte.

colocar

—Suenas igual que mi mamá. ¡Ya basta, por favor! —observo a mi alrededor y busco a Matt y a Umberto para que me salven de las buenas intenciones de Carly. Por desgracia, mis amigos, que no están obsesionados con el trabajo escolar, no se encuentran por ninguna parte.

Carly me deja en paz.

—¡Yo puedo ayudarte, Derek! —grita mientras se aleja por el pasillo.

Lo último que necesito es la ayuda de una sabelotodo como Carly.

# Estrategias

estrategia

similitudes

observación

Umberto y Matt vienen a casa después de la escuela para trabajar en una estrategia. No para las pruebas estatales, obvio, sino para vencer a *Arctic Ninja.*

Me siento un poco mal por no haber invitado a Carly, pero después de la lata constante que me dio hoy, sospecho que nos divertiremos más sin ella.

—Bien —empieza Umberto—, si invitaron a El Cid para probar este nuevo juego, y es el mejor jugador de PlayStation en el mundo, entonces quizá nos convenga jugar algunos juegos de PlayStation, en caso de que haya similitudes entre ellos.

Buena observación. Puedo adivinar que Umberto ha pensado mucho al respecto.

Saco los controles. Pareciera que el hecho de encender la televisión hace que de inmediato mi mamá aparezca como por arte de magia.

—Cuando me dijiste que iban a trabajar hoy, pensé que te referías a la tarea de la escuela —dice ella.

—Sí haremos la tarea —miento—, pero primero vamos a calentar un poco con videojuegos. Es como estirarse antes de una carrera.

Mamá parece divertida con la idea.

—¿Crees que los videojuegos calentarán sus músculos para la parte de lenguas o para matemáticas?

—Definitivamente para matemáticas —responde Matt—. Existen cientos de estudios sobre cómo los videojuegos mejoran las habilidades matemáticas de los chicos que juegan con consolas.

Mi mamá casi suelta una carcajada.

—No sabía que te gustaba leer artículos científicos, Matt. Me encantaría leer algunos de ellos.

científico

—Se los enviaré por correo electrónico a Derek —dice Matt—. Creo que son muy interesantes.

Le lanzo a mi mamá una mirada de "ya te puedes ir", pero ella se sienta en la orilla del sofá, sin mostrar nada de prisa. ¿Dónde está un hurón enfermo cuando más lo necesitas?

obesidad

—Vamos a ver... el último estudio que leí sobre videojuegos tenía que ver con obesidad infantil —mi mamá no tiene ninguna intención de cambiar el tema—; de hecho, hace poco leí un artículo sobre un niño que estuvo sentado en la misma posición durante tanto tiempo frente a la pantalla, que murió de una embolia.

—¡Mamá! ¡Deja de tratar de asustarnos! No moriremos sólo por jugar un poco de videojuegos.

Después de rogarle a mi mamá más de cincuenta veces que se vaya, finalmente lo hace. Entonces Umberto, Matt y yo navegamos en la red algunos minutos antes de averiguar que una embolia es un coágulo de sangre.

embolia

—Si no me ha salido uno en esta silla de ruedas, no creo que me dé uno por los videojuegos —dice Umberto.

Le aseguro que a nadie le va a salir un coágulo de sangre.

—Bueno, tu mamá ya nos arruinó la diversión —dice Matt—. Creo que sería mejor que nos pusiéramos a estudiar.

—Lo único que estudiaremos será cómo patear traseros en *Arctic Ninja*. ¿Están de acuerdo?

—Sí.

Jugamos nuestros juegos favoritos durante las siguientes tres horas (los aniquilo en *Madden* NFL y FIFA, luego me destruyen en *Crash Bandicoot*).

Puede sonar un poco supersticioso, pero después del comentario de mi mamá, me aseguro de que nos levantemos y nos movamos cada veinte minutos.

Por si acaso.

superstición

# Alguien más quiere jugar

aguafiestas

despistado

prototipo

**M**i mamá sigue de aguafiestas la mayor parte del día, pero cuando mis amigos se van, papá se sienta a mi lado en el sofá y toma uno de los controles de mi Wii U. Luego me pregunta:

—¿Éste es *Arctic Ninja?*

Pobre papá, tan despistado en el tema de los videojuegos. Le explico con calma que obviamente Global Games jamás nos permitirá llevarnos a casa el nuevo juego, pues es un prototipo secreto que no puede salir del edificio.

—Estaba bromeando —afirma—. Sé lo mucho que estas compañías protegen sus prototipos. ¿Qué juego es éste? —señala los gráficos en la televisión.

—Es el nuevo juego de *Mario Kart* en donde voy a aniquilarte —entonces configuro el juego para dos participantes y pulso el botón de *play*.

A papá le toma un rato entender de qué se trata, aunque después de un rato se convierte en un buen rival.

—Entonces, seguimos tratando de ganar las carreras y recoger caparazones de tortuga, ¿verdad? —la barba de mi papá es irregular y todavía lleva puestos los *pants* que traía esta mañana. Es casi como si se hubiera resignado a estar en casa todo el día. Ahora sus actividades de empapelar paredes y hornear pastelillos han disminuido, y no estoy seguro de si eso es bueno o malo.

resignado

—Si no soy capaz de vencerte a ti —me dice papá—, al menos déjame ganarle a la máquina.

Le he rogado a papá para que juegue videojuegos conmigo durante años, y puedo contar las veces que lo ha hecho con una mano. Así que pasar la siguiente hora dándole una paliza en *Mario Kart* se siente bastante bien. Sólo dejamos de jugar cuando mamá nos llama a cenar.

Papá me despeina mientras guardo los controles en su lugar.

—Me aniquilaste por completo. Sólo me alegro de no haber quedado en último lugar. Exijo una revancha.

—Cuando quieras —le digo.

vieiras

La primera mala noticia de la tarde es que cenaremos vieiras. La segunda mala noticia es que Hannah vendrá después para otra sesión de tutoría.

—¡Me hubieras dicho antes! —me quejo—. Tengo que prepararme mentalmente si voy a trabajar toda la noche.

Entonces mi mamá pone los ojos en blanco, una habilidad que domina desde que vive conmigo.

—Te la pasaste en los videojuegos toda la tarde —dice—. Dudo que un par de horas estudiando te maten.

deprimente

Si yo fuera un investigador reconocido, aquí es donde citaría algunas estadísticas deprimentes para demostrar que estudiar mucho puede ser mortal.

Estoy seguro de que hay ejemplos de algún pobre chico que quedó sepultado vivo bajo un montón de libros durante un terremoto, o de algún otro estudiante desafortunado cuyo cerebro explotó después de intentar resolver demasiados problemas matemáticos. Por desgracia, mis habilidades de lectura no son tan buenas como para que pueda localizar esa valiosa información de forma oportuna.

Antes de que termine de jugar con las vieiras en mi plato, Hannah toca la puerta trasera. Mamá le pregunta si quiere cenar algo, pero Hannah dice que está ansiosa por comenzar a trabajar. Yo respondo que no puedo ni siquiera empezar a pensar en estudiar mientras no haya levantado la mesa y lavado los platos.

Mis papás casi se ahogan con su ensalada. Mi papá tose un poco y saca el teléfono de su bolsillo trasero.

—¿Te importaría repetir esa frase para que pueda grabarla? Me servirá escucharla de nueva cuenta cuando necesite una buena carcajada.

—Vamos, Derek —agrega Hannah—, estamos perdiendo tiempo.

imaginación

Tal vez sólo es mi imaginación, pero cuando le doy a Bodi algunas de mis vieiras, me parece que me mira con lástima. A regañadientes, sigo a Hannah al estudio.

# Demasiadas notas

capataz

sargento

alegre

Hannah parece una chica normal, pero en realidad es como una capataz cuando se trata de dar clases. Es difícil creer que alguien que lleva chanclas, una playera de Sonic y mechones morados en el cabello pueda actuar como un verdadero sargento, pero eso es justo lo que parece. No había visto tanta de mi propia escritura desde que Matt y yo pasamos un mes obsesionados con fabricar atrapapiojos de papel.

—¿Ya casi terminamos? —pregunto por enésima vez.

Aunque llevamos una hora trabajando, Hannah todavía parece alegre y lista para continuar la noche entera. Su energía me impresiona y me preocupa.

—Sólo unas cuantas secciones más, por favor, Derek —me contesta.

Recuerdo lo mucho que a Hannah le gustó Frank en su primera visita, así que lo saco de su jaula para distraerla. Antes de que pueda explicarle las reglas de cómo manejar a un mono, Hannah lo levanta entre sus brazos. Se lo quito por un momento y le explico cómo debe actuar con un mono capuchino. Ella escucha con atención, como si estuviera lista para empezar a tomar notas. Cuando al fin la dejo abrazar a Frank, parece más feliz que una niña de dos años sentada en el regazo de Santa Claus.

—Me imagino que hemos terminado por hoy —digo y levanto mis notas antes de que pueda responder. Este plan funcionó a la perfección.

vals

Hannah baila un vals con Frank alrededor de la sala, al ritmo de su propia música interior. Mientras ella se divierte con mi mono, escondo todo mi trabajo escolar bajo el sofá y luego ataco la cocina buscando algo de comer.

Cuando vuelvo a la sala con un plato de galletas, Hannah sigue con una sonrisa

escabullirse

sobresaltar

destrozado

enorme en el rostro, pero mi mono no está por ningún lado.

—¿Dónde está Frank? —busco tras de la cortina, uno de sus escondites.

—Se escabulló debajo del sofá. Creo que quiere jugar al escondite —se agacha para mirar debajo del sofá, pero le digo que se mueva lentamente para no sobresaltarlo. Hannah se pone en cuatro patas detrás de la mesita de café—. Sólo está allí acostado masticando papel. ¡Es encantador!

Me pongo a su lado y deslizo mi mano debajo del sofá para sacar a Frank. Mi peor temor se materializa: Frank está devorando mis notas.

Lo dejo en el sofá y trato de salvar lo que puedo de mi trabajo de esta noche. No me ayuda que Hannah se eche a reír.

—En lugar de que el perro se haya comido la tarea, ahora fue el mono quien lo hizo. Es gracioso, ¿no?

—Hilarante —busco entre el montón de papeles destrozados, pero ninguna página tiene remedio—. ¿Abandono la habitación por un momento para ir por unas galletas y dejas que un mono se coma mis notas? ¿Qué clase de tutora eres?

El rostro de Hannah cambia de risueño a enojado en dos segundos.

—Tú eres el que conoce las reglas del mono, no yo. ¿Cómo se supone que iba a saber que come papel? —toma su abrigo y va hacia a la cocina. Recojo a Frank y corro detrás de ella, para asegurarme de que mamá escuche ambas versiones de la historia.

Como veterinaria, la primera preocupación de mi mamá es por Frank. Lo revisa con cuidado para asegurarse de que no tiene nada atorado en la garganta y luego lo vuelve a meter en su jaula. Si pensaba regañarme por sacar a Frank o por dejar mis papeles tirados en el suelo, cambia de opinión cuando ve mi expresión. Hace mucho que no lloro, y no voy a hacerlo ahora, pero no puedo ocultar lo frustrado que me siento. Mi mamá me toma entre sus brazos y me dice que hice un buen trabajo al tomar todas esas notas y que me ayudará a ponerme al corriente mañana. Me abraza muy fuerte, hasta que me da vergüenza y salgo huyendo de sus brazos.

Hannah se disculpa mientras mi mamá le entrega un cheque y agenda una nueva

vencer

sesión para la próxima semana. Por último, recojo los jirones de papel y los tiro en la basura, debajo de los restos de las vieiras.

Por un breve instante sentí que estaba listo, como si vencer una prueba fuera casi posible. De seguro Umberto y Carly se sienten así todo el tiempo, pero para mí era una sensación completamente nueva. Debí sospechar que ese tipo de sentimiento positivo sobre el trabajo escolar no es para un estudiante de segunda como yo.

# ¡Sábado!

Mi papá y yo nos quedamos atrapados en el tránsito de camino al estudio, debido a un accidente automovilístico. Eso me provoca un estado de ansiedad del tipo "me voy a perder de todo". Pero como somos californianos de nacimiento, siempre salimos temprano si vamos que conducir a cualquier lugar. Así que, incluso después de estar sentados en el auto sin movernos durante veinte minutos, llegamos a tiempo a Global Games.

Mis amigos ya están agrupados. Carly está en una esquina con El Cid, jugando con su teléfono. Trato de no tener resentimiento porque Carly convive con el genio de los videojuegos. Y pienso que tal vez

resentimiento

pueda pedirle algunos consejos para mejorar las puntuaciones en *Arctic Ninja*.

Tom hace sonar su silbato para que comience la sesión.

—Ahora que todos conocen las reglas del juego, hoy se trata de competir. El que obtenga la puntuación más alta al final del día gana un premio de cien dólares.

La habitación retumba de excitación: "¡Cien dólares!".

Matt se frota las manos, como si tuviera la más mínima posibilidad de ganar. De nuestro grupo, Umberto es a quien yo le apostaría mi dinero, pero ahora que El Cid está aquí, nadie tiene oportunidad.

Aunque seguimos en nuestros grupos, Tom explica que jugaremos de manera individual. Nos desplegamos alrededor de la habitación gigante; cada chico tiene un monitor de veintiún pulgadas, una consola y un control. A los pocos minutos, la habitación estalla con los sonidos de relámpagos, sobrecargas eléctricas y explosiones y gritos. Mientras paso al siguiente nivel, echo un vistazo a El Cid, quien manipula su control con calma. Daría cualquier cosa por saber su puntuación.

sobrecarga

Mi propia puntuación sigue aumentando. En realidad, soy mejor en este prototipo que en cualquiera de los juegos que tengo en casa. *Arctic Ninja* me parece bastante sencillo, aunque los gráficos son complejos. Sólo me queda hacer mi mejor esfuerzo y dejar de preocuparme por cómo juego en comparación con los demás.

Cuando Tom suena su silbato para que dejemos de jugar, me doy cuenta de que llevamos dos horas en acción. Miro a Matt: me lanza una sonrisa brillante. Entonces creo que sí tiene oportunidad de ganar el gran premio.

—Cada consola está ligada a un número en el sistema, por lo que tenemos acceso inmediato a nuestras puntuaciones —Tom observa la pantalla de su iPad mientras habla—. En tercer lugar, con 10 290 puntos, está la persona de la consola 17.

inmediato

Todo el mundo se apresura para checar el número al lado de su consola.

El chico que me hizo la broma sobre la clase de origami alza los brazos. Resulta que su nombre es Toby. Hace un escándalo por su tercer lugar, se para sobre su silla y agita las manos en el aire.

—En segundo lugar, con 11 782 puntos, está la persona en la consola 6.

Umberto deja escapar un "¡Súper!" que escuchamos todos en la habitación. Sabía que es muy bueno, casi siempre nos gana a Matt y a mí, pero no tenía idea de que se defendería tan bien contra jugadores de todo el mundo. Me llena de orgullo.

—Y con 107 028 puntos, el jugador en la consola 8.

El Cid se levanta despacio de su consola y hace una reverencia frente a nuestros estruendosos aplausos.

estruendoso

—¡Ven por tu premio! —Tom agita un billete de cien dólares en el aire.

—Consiguió más de cien mil puntos —susurra Matt—. ¡Es una locura!

—Me pregunto si es posible que el casco le ayude —le digo—. Tal vez debo empezar a usar un disfraz.

disfraz

—Sí, como esa máscara del Llanero Solitario que te ponías todos los días en el jardín de niños —bromea Matt—. Parecía que pensabas que la escuela era una gran fiesta de disfraces.

Por más que me esfuerzo por mantener una cara seria, no puedo evitar sonreír.

Es bueno tener un amigo que te conoce desde siempre y que te recuerde las cosas ridículas que has hecho en tu vida.

Carly corre emocionada hacia nosotros:

—Hice 10 120 puntos.

Echo un vistazo al monitor de Matt, quien también consiguió más de diez mil puntos. Luego reviso el mío y veo mi puntuación de 8 276. Es muy bajo. En realidad voy a tener que mejorar mis habilidades de juego si no quiero ser el jugador más pobre en el grupo de prueba.

pobre

—Empezaremos el próximo juego con nuestras puntuaciones actuales, así que los números de esta tarde serán gigantes —dice Umberto.

—¿De qué hablas? —pregunto—. ¿No empezamos de cero el próximo juego?

Mis tres amigos intercambian miradas como si mi pregunta no tuviera sentido.

intercambiar

—¿Sí salvaste tu juego, verdad? —me pregunta Carly.

Matt baja la mirada.

—El manual explica que siempre debes guardar tu juego cuando termina la sesión.

Miro mi monitor. Mi marcador muestra un brillante cero amarillo.

—¿No leíste esa página? —me pregunta Carly con sutileza.

Cierro los ojos y pienso, pero no recuerdo si leí esa información tan importante y la olvidé o si nunca la leí. Lo que sí sé es que ahora estoy miles de puntos detrás de los otros jugadores.

Tom anuncia que es hora de almorzar y seguimos a los ayudantes hacia la cafetería. Es un bufet gigante de costillas y papas fritas, pero de momento no existe comida en el mundo, aunque sea deliciosa, que me haga sentir bien.

bufet

—¡Guau! ¡Fui el mejor después de El Cid! —exclama Umberto—. ¡Segundo lugar, detrás de un profesional!

—Técnicamente, no estabas justo detrás de él —dice Matt—, pero tu segundo lugar sigue siendo increíble.

Trato de enfocarme en estar feliz por Umberto en vez de pensar que estoy en último lugar. Miro alrededor de la habitación al grupo enorme de chicos felices y me pregunto por qué me resulta tan difícil ser uno de ellos.

## Las cosas mejoran

Mientras me esfuerzo por regresar de vuelta a mi consola para iniciar el nivel uno de *Arctic Ninja* de nuevo, me pregunto si inscribirme en este grupo de prueba fue una buena idea. ¿Por qué estoy aquí sintiéndome como un perdedor? ¡Es sábado! Podría estar jugando con mi patineta o dando un paseo o comiendo *pizza* delante de la televisión con Bodi y Frank. Si quisiera sentir lástima por mí mismo, entonces hubiera ido a la escuela.

esforzarse

Tom anuncia que en esta ronda tres jugadores ganarán premios. Sé que no tengo oportunidad, pero estoy feliz de recorrer los niveles mucho más rápido de lo que lo hice la primera vez. Es casi como si

paseo

participantes

ser el último lugar me diera una especie de superpoder de videojuegos. Entonces mi contador rebasa los diez mil puntos en un santiamén. No sé cómo lo están haciendo los demás participantes, porque yo estoy usando toda mi energía para enfocarme en el mundo del narval Skippy y sus portales mágicos. Y no se trata de mi concentración preocupada de siempre; es un enfoque más relajado que por un momento me hace sentir como si yo fuera El Cid.

Cuando escucho el silbido de Tom, presiono el botón de *save* inmediatamente. Tal vez no soy el chico más brillante de la habitación, pero no voy a cometer el mismo error dos veces.

—¡Con una puntuación de 21 723, el tercer lugar es para el jugador de la consola 6! —grita Tom.

Umberto hace un alboroto en su silla y luego se derrapa hasta detenerse frente a Tom para recoger su premio.

—Se ha vuelto muy bueno —susurra Matt—; creo que todos sus cursos de programación han valido la pena.

—¡En segundo lugar, con una puntuación de 27 556, el jugador en la consola 4!

Mi mandíbula golpea el suelo cuando Carly se levanta a recoger su premio.

—¿Cómo pudo suceder eso? —pregunta Matt—. Ganarnos a ti y a mí es una cosa, ¡pero superar a Umberto!

Carly levanta su billete de cincuenta dólares y baila de felicidad al regresar a su asiento. Miro mi puntaje de 19 876, un número que de repente me parece insignificante comparado con el de mis amigos.

insignificante

—Y con una puntuación increíble de 240 807...

Todo el mundo se maravilla. Tom nos calma antes de continuar.

—... el primer premio es para el jugador de la consola 8.

El Cid camina tranquilo hacia el frente, como si ganar doscientos dólares en un sábado por la tarde no fuera gran cosa.

—Ay, Derek, creo que empiezo a detestar a El Cid —susurra Matt.

detestar

Umberto empuja a Matt con el codo.

—¡Vamos! Tienes que darle un poco de crédito al tipo.

Cuando juntamos nuestras cosas para irnos, Carly salta de arriba abajo como si fuera una porrista y dice:

—Ya sé lo qué haré con este dinero.

—Eso no importa —le digo—. ¿Cómo conseguiste anotar tantos puntos?

—Sí —añade Matt—. ¿Acaso te ayuda a escondidas El Cid?

Carly nos mira fijamente.

—¡Claro que no! ¿No soy tan inteligente como para entender este juego?

—Nadie dice eso —Umberto rueda su silla hasta ponerse al lado de Carly—. Sólo que quizá tengas algunos consejos que nos puedas compartir.

Carly sigue pareciendo molesta.

—Tal vez me dieron algunos consejos, pero basta con leer el manual. Todo lo que necesitan está allí —corre a reunirse con El Cid, su nuevo mejor amigo.

—¿Leer un manual para ser bueno en un videojuego? —digo.

—Vamos —dice Umberto—, ataquemos los bocadillos antes de irnos a casa.

Mientras llenamos nuestras bolsas con barritas de granola, me siento feliz por Umberto y Carly, y maravillado por El Cid.

# Perezoso

El hermano de Matt llega por nosotros veinte minutos tarde, menos mal que trae tacos para alimentarnos. Cuando llegamos a mi casa, sólo queda una bolsa de papel arrugado y botes vacíos de salsa que ensucian el piso de su auto.

ensuciar

Me siento contento cuando llego a casa y me sorprende escuchar la pegajosa canción de *Mario* desde el estudio. Mi papá sigue en piyama delante de la televisión.

—¿Estás en el Mundo 8? —pregunto sorprendido—. ¿Cuánto llevas jugando?

Mi papá espera hasta que Mario muere para responderme.

—Desde el desayuno.

Veo el reloj en la repisa de la chimenea.

Son casi las cuatro de la tarde.

—Ah... ¿dónde está mamá?

Me dice que fue de compras con una amiga y que volverá pronto.

—¿Entonces tal vez deberías vestirte? —siento raro ser yo quien le da consejos sobre cómo evitar meterse en problemas con mamá.

—Sólo unos minutos más —observa la pantalla tan de cerca que me pregunto si mi mamá no tendría razón sobre que hay que levantarse y moverse un poco cuando jugamos.

—Voy a llevar a Bodi a dar un pequeño paseo —le digo—. ¿Quieres venir?

Esta vez papá ni siquiera me responde y sigue mirando la pantalla. Me siento feliz cuando escucho el auto de mamá llegar.

—Papá, mamá ya está aquí. ¿Quieres que guarde esto? —acerco una mano para tomar el control, pero papá lo aleja antes de que lo pueda alcanzar.

—Le gané a Bowser, así que tengo un mundo secreto. Sólo cinco minutos más.

destinatario

Mi mamá entra en la casa con dos bolsas que parecen muy lujosas, lo que significa que seguramente no soy el destinatario de su excursión consumista. Mira a papá y luego me ve a mí.

—¿Ha estado jugando todo el día?

Le respondo que lo encontré así cuando volví de Global Games.

—Necesita encontrar trabajo —los dos susurramos al unísono.

De pronto, mi papá grita como si Bodi acabara de ser atropellado por un auto.

—¡Jeremy! —mi mamá lo calla—. ¡No grites así dentro de la casa!

—¡Casi logro salvar a la princesa! —se queja papá.

Me resulta muy extraño que mi mamá regañe a mi papá. Cuando ella le quita el control y apaga la televisión, papá deja escapar un gemido más fuerte que cualquiera de los míos.

Aunque la escena es entretenida, también es inquietante. ¿Esto le sucede a los adultos cuando no tienen trabajo? ¿Ahora mamá tiene que ocuparse de los dos? Es fantástico que alguien disfrute de *Donkey Kong* tanto como yo, pero creo que papá está actuando bastante raro.

Empiezo a sonar como mamá.

excursión

callar

inquietante

# Sí puedo guardar un secreto

**H**annah se vuelve completamente loca cuando le cuento sobre nuestro grupo de prueba de los sábados.

—¿El Cid está allí? ¿Estás bromeando? —procede a preguntarme mil cosas sobre la identidad de El Cid.

interrogantes

Yo respondo sus interrogantes con una sonrisa, como si tuviera información privilegiada, cosa que obviamente no es verdad. A pesar de que he estado en la misma habitación con la estrella de los videojuegos durante dos semanas, no tengo ni la más mínima idea acerca de su verdadera identidad.

divulgar

Hannah insiste, obligándome a divulgar todos los detalles, lo cual no me toma más de dos segundos, porque lo único que puedo decirle es que El Cid gana todos los juegos.

—Quién sabe —le digo—, tal vez hace trampa.

Hannah reniega de inmediato de mi sugerencia.

renegar

—El Cid no necesita hacer trampa; él piensa como si fuera un videojuego. Por eso es el número uno en el mundo. Es de Perú, ¿lo sabías?

Trato de parecer más *cool* de lo que soy, presumiéndole que El Cid se está juntando mucho con Carly, quien es una de mis mejores y más queridas amigas.

—Se envían mensajes de texto todo el tiempo —le digo.

fanático

No sé si estoy tratando de impresionar a Hannah porque es una fanática de los videojuegos, o si sólo intento distraerla de la prueba de práctica que se supone que tiene aplicarme hoy. Tal vez un poco de ambas cosas.

Mamá entra al estudio con una canasta de ropa doblada. Probablemente, de verdad está lavando la ropa, pero apuesto a que en realidad quiere asegurarse de que Hannah y yo estemos trabajando. Sea ésa su intención o no, logra su cometido: Hannah de inmediato coloca la prueba sobre la mesa.

—Esto debería darnos una buena idea de cómo te irá en las pruebas reales el mes que entra —Hannah me habla, pero ve hacia la cocina, asegurándose de que mi mamá pueda escucharla—. Las pruebas toman cuarenta y cinco minutos, así que te daré ese tiempo. ¡Vamos!

examinar

Tomo un lápiz y examino la prueba.

—¡Oye! ¡Pensé que hoy estudiaríamos Ciencias!

Hannah se encoge de hombros, como si una prueba de inglés fuera intercambiable

intercambiable

con cualquier otro tipo de prueba.

Luego señalo el enorme bloque de texto que abarca dos páginas.

—¡No puedo leer todo esto!

—Estás en secundaria. Claro que puedes leerlo.

Su falta de compasión me golpea como una bofetada.

compasión

—De verdad no puedo leer esto y responder todas las preguntas en cuarenta y cinco minutos. ¡Necesito más tiempo!

Con toda la tranquilidad del mundo, Hannah se mete un pedazo de chicle a la boca y me dice que me relaje.

—Sólo es una prueba de práctica. A nadie le importa.

—¡A mí sí me importa! ¡Si la repruebo, estoy muerto!

Hannah levanta su celular y me muestra la hora.

—Sólo te quedan cuarenta y tres minutos. ¡Vamos!

Observo las dos páginas, ¡dos!, llenas de párrafos y párrafos de cosas que no me importan. Me siento como un alpinista parado en la base del monte Everest. Quizá puedes subirlo, pero también sabes cuánto trabajo te va a costar llegar allí. Así que agarro mi cuerda, mi arnés y mi piolet mental, y empiezo la prueba de la misma manera que lo haría si tuviera que escalar el monte Everest.

Un paso a la vez.

alpinista

# Quizá no deba aventurarme todavía

cumbre

arrugar

**D**espués de cuarenta y cinco minutos de sangre, sudor y lágrimas, sólo consigo un cincuenta y seis en la prueba de práctica. Me olvido de plantar mi bandera en la cumbre del monte Everest; es más, ni siquiera logré salir del campamento base.

Cuando Hannah muestra mis resultados, mi mamá arruga la cara. No está enojada, sabe que lo intenté, que lo he estado intentado toda la vida.

Mamá hace un esfuerzo y me sonríe.

—La próxima vez te irá mejor, Derek. Estoy segura.

Sin embargo, yo no estoy tan seguro.

## Todo empeora

*C*onozco a la señorita McCoddle desde el jardín de niños, pero nunca la había visto tan estresada como hoy.

—Hemos trabajado en estas pruebas de práctica toda la semana —dice—. Hoy sabremos cómo nos situamos frente a las demás clases.

estresada

Les entrega muchas pruebas a los estudiantes de la primera fila, quienes las reparten hacia atrás. Después de mi fracaso épico con Hannah, no sé si mis habilidades ayudarán a nuestra clase en la clasificación.

—La señora Lynch y yo hicimos una apuesta —dice la señorita McCoddle—. Le dije que nuestra clase dejará a la suya por los suelos. ¿Qué dicen ustedes?

recordatorio

pronunciar

robar

inmutable

Algunos compañeros sueltan gruñidos. Supongo que no soy el único preocupado por el desempeño.

La señorita McCoddle explica que tendremos cuarenta y cinco minutos para la prueba y que a la mitad nos recordará cuánto tiempo falta. Me parece una buena señal que el primer ensayo sea sobre Harry Houdini. A pesar de que el nivel de lectura es más complicado del que estoy acostumbrado, me gusta leer sobre sus elaboradas rutinas de escape. Sólo hay dos preguntas al final de toda la lectura; hago mis mejores conjeturas y paso a la siguiente sección.

La siguiente lectura es sobre un dios griego llamado Phaëton, cuyo nombre lleva una diéresis sobre la *e*, lo que me saca completamente de quicio.

¿Por qué no pueden sólo utilizar una *e* común y corriente? ¿Cómo voy a pronunciar esto y, peor aún, leerlo? Sobre todo, ¿cómo conseguiré leer diez párrafos con todas estas diéresis robando mi atención? Volteo para ver a Carly, quien parece no inmutarse por la extraña diéresis y toda esta tediosa lectura.

El último ensayo es sobre Koko el Gorila. La historia es interesante (vi un especial suyo en televisión el año pasado), pero me pone a pensar que Frank nos dejará pronto. Claro, quizá podríamos volver a verlo, pero una vez que entre a la universidad y se le asigne como compañero a otra persona, de seguro no sabremos de él. Entonces esa persona será el amigo de Frank, no yo. Me dan ganas de ocultar a mi mono en casa de Matt y fingir que no sé dónde está cuando lleguen para llevarlo de regreso a Boston, aunque sé que mi mamá jamás estaría de acuerdo con mi plan.

asignar

La señorita McCoddle aplaude igual que como lo hacía cuando estábamos en el jardín de niños.

—Muy bien... ¡Deténgase!

—¡Qué!

La señorita McCoddle sonríe mientras recoge nuestras pruebas.

—¿No fue tiempo suficiente, Derek?

¿Cómo le explico que nunca habrá suficiente tiempo para pasar una prueba ni para averiguar por qué las letras necesitan diéresis ni para evitar que se lleven a tu mono?

## Por lo menos
## es sábado de nuevo

No me sorprende descubrir que reprobé la prueba de práctica. Lo que sí me asombra es que otros tres niños de mi clase también reprobaron. Resulta que la clase de la señora Lynch nos pateó el trasero y la señorita McCoddle no está feliz. Nuestra clase pasa cada minuto del día repasando el material de nueva cuenta. Así que para cuando por fin llega el sábado, estoy más que listo para sacar mis frustraciones en el mundo de *Arctic Ninja*.

Siempre hay alguien que se queja de todo y, por supuesto, el chico parado frente a mí en la mesa de bocadillos le está diciendo a quien esté dispuesto a escucharlo que *Arctic Ninja* es una porquería.

—Debería haber más mundos. Y definitivamente no hay suficientes huevos de Pascua —pone tanto queso crema en su plato que su *bagel* desaparece.

—Estoy seguro de que este juego será un fracaso, incluso peor que *E. T.* de Atari. Acabarán enterrando todos los juegos sin vender en Nuevo México verán que sí.

No quiero que la negatividad de este chico se me contagie, así que renuncio a una dona más y camino hacia mi asiento.

renunciar

Tom pasa la primera mitad de la mañana preguntando qué tipo de paquetes de expansión solemos comprar. Después de un buen rato debatiendo en grupo, anuncia que es hora de jugar.

—Probaremos algo diferente —añade—, queremos ver cómo le va al grupo jugando en equipos.

expansión

Algunos chicos parecen entusiasmados; otros, en cambio, decepcionados. Mis habilidades de juego son menores que los de la media, por lo que en lo que a mí respecta, aceptaré toda la ayuda que pueda conseguir.

debatir

Antes de que nadie tenga oportunidad de elegir un compañero de equipo, Tom mira la pantalla de su iPad y empieza a

dividir

llamar nuestros nombres en voz alta, dividiéndonos en parejas. Escucho los nombres de mis amigos también. Umberto y Matt quedan emparejados con chicos que no conozco, y Carly y yo quedamos juntos.

Umberto señala a un chico muy alto, que agita los brazos con alegría.

—A ese suertudo le tocó ser compañero de El Cid. ¿Te lo puedes imaginar? Apuesto a que consigue la puntuación más alta de su vida.

vertical

Frente a todos en la habitación, el chico alto se inclina ante El Cid, como si fuera el rey de Inglaterra. El Cid parece mortificado y toma al chico por el brazo y lo regresa a una posición vertical. Pero el chico no puede contenerse, salta por todas partes como si tuviera zapatos con resortes: está fuera de control.

—¡Qué payaso! —exclama Matt.

—¿Estás bromeando? Es lo que yo haría si fuera compañero de equipo de El Cid —Umberto gira en su silla de ruedas—. Si pudiera saltar, claro está.

Matt y yo reímos.

Umberto es uno de los chicos más graciosos que conocemos.

Carly se aproxima; se frota las manos como si acabara de encontrar el mapa secreto de un tesoro enterrado.

—¡Vamos a patear traseros, Derek!

Es curioso ver a Carly tan entusiasmada con los videojuegos, después de todo lo que nos ha molestado a mí y a Matt por las horas que pasamos pegados a la tele. Pero el entusiasmo de Carly es contagioso y me descubro pensando que tal vez ella y yo tenemos una oportunidad de llegar a la lista de los ganadores de hoy.

Puesto que ahora estamos jugando en equipo, el juego se mueve más rápido y hay más obstáculos que superar. Me sorprende descubrir lo buena que Carly se ha vuelto. Me comparte un arpón cuando nos atacan los muñecos de nieve caníbales y me ayuda a saltar por encima del muro de hielo para evitar ser alcanzado por los drones que nos disparan carámbanos. Me descubro gritando: "¡Bien!" ante las aptitudes de juego de Carly.

arpón

El cuarto nivel de *Arctic Ninja* es mi parte favorita del juego. Es impredecible, rápido y los gráficos son increíbles. Así que estoy sorprendido cuando entramos a un nivel completamente diferente. Supongo que jugar en equipo desbloquea nuevos mundos. Otros chicos deben haber llegado al nuevo nivel también, porque pronto se escucha mucha gente gritando "¡Guau!" por toda la habitación.

desorientarse

El nuevo nivel es diferente visualmente al resto del juego, por lo que me desoriento por un momento, y mi pobre narval se queda allí parado, preguntándose qué hacer a continuación, hasta que Carly me empuja para alejarme del camino de un demoniaco cazador furtivo.

—Me salvaste la vida.

demoniaco

—Más de una vez —responde ella, sin quitar los ojos de la pantalla.

Tal vez sea porque somos viejos amigos, pero Carly y yo encontramos un ritmo que usamos a nuestro favor durante el resto del juego. Cuando su narval se mueve a la izquierda, la cubro para que no nos ataquen los secuaces malévolos del cazador furtivo. Tan pronto como mi narval llega al tobogán para pasar al siguiente nivel, Carly salta delante de mí y lanza un cuerno de narval extra contra los *lemmings* que tratan de conseguir el código secreto antes

secuaces

tobogán

que nosotros. Carly y yo somos imparables, al menos en *Arctic Ninja*.

—Aún no estamos ni cerca de encontrar el código secreto —le digo—, ¿dónde crees que está? ¿Y por qué hay letras del alfabeto volando por la pantalla?

—Tú eres el experto en animales, ¿no? —me dice Carly—. ¿Qué tipo de peces son esos que nuestros narvales comen todo el tiempo?

—Son bacalaos del Ártico —ya que muy pocas veces sé algo que Carly no sabe, trato de saborear el momento.

—Mira, ahí entran las letras voladoras —susurra Carly—. ¡Atrapa una *e!*

Me toma un minuto descifrar lo que dice. Ella es una genio. Espero que las letras aparezcan en pantalla de nuevo y apuñalo una *e* con el cuerno de mi narval. Carly sonríe de oreja a oreja mientras le doy de comer la letra *e* a uno de los peces.

—Bacalao en inglés es *cod*. Si le agregas una *e* al final a *cod*, entonces obtienes la palabra *code*, que significa "código" —susurra—. ¿Crees que ése sea el truco?

Los dos miramos la pantalla mientras el pez devora la vocal empalada. En efecto,

AEIOU
vocales

aparece una escena en pantalla, representando otra parte de la historia de Skippy.

—Nunca hubiera llegado a este nuevo nivel sin ti —le digo a Carly.

—Lo mismo pienso —responde ella—, eres el único que sabía que esos peces eran bacalaos del Ártico.

De pronto, Tom hace sonar su silbato y nos avisa que la sesión ha terminado.

—¡Hacemos un buen equipo! —exclama Carly mientras guarda nuestro juego.

—Es extraño, pero es cierto —quiero cambiar de tema antes de que la conversación se torne incómoda—. Me pregunto cómo le fue a tu amigo El Cid con su compañero de equipo.

incómodo

Señalo con un gesto al chico alto, quien baila alrededor de la mesa, y después a El Cid, quien parece incómodo.

—¡Tenemos los resultados! —Tom agita los brazos en el aire para llamar nuestra atención—. En tercer lugar, el equipo de la consola 3.

Toby, el chico origami, y una niña, que parece muy joven para estar en este grupo de prueba, caminan al frente de la habitación para recoger su premio.

—En segundo lugar, el equipo de la consola 7 —la multitud guarda silencio cuando El Cid y el chico resorte se levantan para reclamar su premio.

Umberto trata de levantarse en su silla de ruedas para ver mejor.

—¡No puedo creerlo! ¡Es la primera vez en tres años que El Cid pierde un juego!

—No perdió —aclara Matt—, llegó en segundo lugar. Eso es diferente.

El Cid no está tan sorprendido como el resto de nosotros; acepta su premio de segundo lugar sin ningún alboroto. El chico resorte, por el contrario, se vuelve loco, como si Tom le estuviera entregando el Premio Nobel de los videojuegos.

—¡Y el primer premio es para el equipo en la consola 9!

Me toma un segundo ver que la consola 9 ¡somos nosotros! Trato de actuar con sangre fría mientras camino al frente de la habitación, no como un inadaptado sin suerte que nunca gana nada, la cual es, por supuesto, mi verdadera identidad.

inadaptado

Sin embargo, mi sangre fría se disipa cuando Matt comienza a gritar: "¡De-rek! ¡De-rek! ¡Car-ly! ¡Car-ly!", y todos los demás le hacen coro. Actúo exasperado ante tanta atención, pero por dentro disfruto cada minuto.

Es la segunda vez que Carly gana un premio, así que ella monta un verdadero espectáculo al respecto, levantando su puño en el aire como si fuera la abanderada de un nuevo movimiento feminista. Su amigo El Cid le hace una reverencia cuando Tom nos entrega nuestro premio. ¡Cien dólares a cada quien!

superar

—¡Lograron lo imposible! ¡Superaron al jugador número uno del mundo! —dice Umberto mientras almorzamos.

No puedo llevarme el crédito de la hazaña. Jamás hubiera podido acumular una puntuación tan alta si no fuera por Carly, quien está rodeada de algunas chicas que desean felicitarla.

Luego de una semana de fallar en todo, se siente bien ganar en algo.

¡De-rek!

¡De-rek!

## Derecho de presumir

Les presumo mi victoria a Umberto y a Matt cada vez que tengo oportunidad, o sea, casi medio millón de veces. Y gasto treinta dólares en nuevos libros de historietas (mamá me lleva a la tienda Meltdown en Avenida Sunset con la condición de que deposite lo que queda del dinero en mi cuenta de ahorros). El resto de la semana es lo mismo de siempre, hasta que le presumo mi triunfo a Hannah cuando viene a nuestra sesión de estudio.

presumir

Hannah parece sorprendida.

—¿Tú le ganaste a El Cid?

¿Por qué me hace sentir como si fuera un perdedor por ganar?

—Sí. No fracaso en todo.

—Dame todos los detalles —dice ella—. No omitas nada.

Para probar que en realidad soy bueno en algo, le platico cómo Carly y yo formamos un gran equipo durante el juego en conjunto.

—Ah, entonces alguien te ayudó —contesta con cierto sarcasmo.

Detesto a mi tutora número 13.

multiplicar

Para que Hannah me crea, le comparto los detalles de nuestra victoria, desde las paredes hechas de bloques de hielo que se multiplican hasta nuestra estrategia para escapar de los carámbanos mortales. Le cuento de los narvales, de los muñecos de nieve asesinos y del código secreto, hasta que siento que tengo su respeto.

respeto

—Parece que tu amiga Carly es muy buena jugadora.

De manera impulsiva, yo le respondo que no conoce a Carly.

Hannah comienza a buscar las pruebas de práctica en su bolso.

—Pero siento que la conozco; hablas de ella todo el tiempo.

Me sonrojo y me pregunto si eso será cierto.

—Basta ya de videojuegos —ordena Hannah—. ¡Es hora de que practiques tus habilidades matemáticas!

Miro el reloj en la pared de la cocina. Siento que desperdicio mi vida sentado con trabajo frente a mí; mientras observo la hora, espero que el tiempo pase más rápido.

—¡Vamos, Derek! —me grita Hannah con tanto entusiasmo, como si yo estuviera en una competencia de patinetas, en lugar de estar contestando un estúpido examen de práctica (¿acaso un examen de práctica no sigue siendo un examen?, ¿o es menos terrible sólo porque lo llaman "de práctica"?).

posponer

Dejo de posponer lo inevitable y empiezo a resolver el primer problema. Después de algunos minutos, volteo hacia arriba y veo a Hannah enviando mensajes de texto en su teléfono. Debe ser diez años mayor que yo, pero logro reunir el valor para cuestionarla de todos modos.

—No estás compartiendo la información que te acabo de confiar sobre *Arctic Ninja*, ¿verdad?

Ella deja su celular y me mira con una expresión de aburrimiento.

aburrimiento

—Estoy poniéndome de acuerdo con mi compañera de habitación para vernos esta noche. ¿Me das permiso de hacerlo? —señala el reloj—. ¡Vamos!

—Ya sé, ya sé. Se nos acaba el tiempo.

Me concentro en mi trabajo, y cuando Hannah me califica un poco después, me alegro por saber que pasé mi primer examen de práctica. Siento como si se prolongara mi victoria contra El Cid.

## Una fiesta diferente

La gente que viene al consultorio veterinario de mamá suele estacionarse en una de las calles laterales, así que me parece raro encontrar varios coches estacionados frente a mi casa cuando llego.

El misterio es revelado cuando descubro a mi papá y a varios de sus amigos jugando videojuegos en la sala. Me quedo unos minutos en la puerta observando esta escena inédita.

revelado

Reconozco al amigo de papá de la universidad, Eric, y al señor Jensen, quien solía trabajar con papá hace unos años. No tengo idea de quién es el otro tipo. Los cuatro están alrededor de la televisión, gritándole al monitor.

Dos cajas de *pizza* vacías y varias latas de cerveza están tiradas en el piso.

El reloj de la cocina dice que son las tres y diez. Sólo espero que mi mamá tenga un día lleno de citas y no venga a la casa para cambiarse de ropa o buscar algún archivo.

—¡Hola, chicos! —grito con mi voz más alegre—. ¿Quién va ganando?

arrogante

—¡Yo! —responde Eric, apenas volteando a verme—. Tu papá iba ganando hasta que se puso arrogante.

—¡Yo iba ganando hasta que hiciste trampa! —le grita mi papá de vuelta—. Derek, preséntate con el señor Chapman.

Entonces el tipo que no conozco me extiende la mano. Le digo que es un placer conocerlo, y le pregunto de dónde conoce a mi papá.

presentarse

—Nos conocimos en Stan's, la tienda de donas. Tu papá es un gran conversador.

La idea que tengo de mi papá, como alguien tan trabajador, sentado en el mostrador de la tienda de donas, contándole historias a extraños, me llena de consternación. He ido a Stan's con papá un millón de veces, ahí tienen las mejores donas de crema de cacahuate y mermelada de la ciudad, pero nunca nos hemos sentado en el mostrador a charlar con gente que no conocemos. De repente, me preocupa que mi papá nunca vuelva a trabajar y que vivamos en la calle. Mamá me diría que mi imaginación se está desbordando y que tengo que detenerme, pero mi mente se acelera con rapidez.

acelerar

Despierto de mi terrorífico ensueño por un grito que marca el final de *Borderlands*. Después de todos mis temores, cuando papá se levanta del sofá, es el mismo de siempre.

—¿Se te antoja un bocadillo? —me pregunta—. Eric trajo *pretzels* y papas fritas —me lanza las bolsas y varios *pretzels* caen al suelo. Bodi los devora tan pronto como tocan la alfombra.

despertar

Desde que era pequeño, mi mamá siempre me ha regañado cuando no recojo la basura. Lo hago la mitad del tiempo, si tiene suerte, pero ahora estoy recogiendo servilletas, platos y cajas de *pizza* como un rayo para que papá no se meta en problemas. Meto las latas de cerveza al fondo de la papelera de reciclaje.

reciclaje

—Antes de que llegaras estábamos jugando *Mario* —me dice el señor Jensen—.

¿Me puedes dar algún consejo para que no me maten tan rápido la próxima vez?

Le digo que todo se trata de encontrar hongos y salvar a la princesa, lo que lleva a un animado debate sobre los pros y los contras en los juegos de *Mario*. Debatimos si Kuppa es mejor protagonista o antagonista . El señor Chapman piensa que Mario es mejor cuando es parte de un conjunto. Nadie más está de acuerdo, pero da un argumento contundente de todos modos.

protagonista

Aunque me sentía algo aprensivo al principio, nunca había pasado tanto tiempo con mi papá y sus amigos, así que resultó ser una tarde muy divertida. El señor Jensen quiere probar un juego retro, así que jugamos una partida rápida de *Space Invaders*, antes de se vaya a recoger a sus hijos de sus clases extracurriculares. Luego Eric empieza una rutina cómica sobre cómo los caballitos de mar no pertenecen al papel tapiz de una cocina.

antagonista

conjunto

A pesar de que mi papá es el blanco de la broma, se ríe y puedo entender por qué tantas personas disfrutan pasar el rato con él. Sé que él quiere encontrar trabajo más que nada en el mundo, pero hoy parece feliz de disfrutar a sus amigos. Verlo bromear tanto con Eric y el señor Chapman, me recuerda cómo Matt, Umberto y yo también nos sentamos alrededor de la misma mesa y bromeamos sobre cosas tontas.

bromear

Tal vez ser un adulto no es tan diferente a ser un niño: es sólo el mismo cerebro en un cuerpo mucho más grande. Sé que debería estar trabajando en la prueba de práctica que la señorita McCoddle nos entregó para traer a casa, pero ahora mismo estoy contento de platicar sobre videojuegos y papel tapiz con papá y mis nuevos amigos adultos.

# ¿Qué harás qué?

**P**asé demasiado tiempo bromeando con papá ayer y me olvidé por completo de la prueba de práctica, pero tendría que haber adivinado que la señorita McCoddle no lo olvidaría. Como todos los profesores, tiene la memoria de un elefante o más bien una manada de elefantes.

manada

Apenas logro acomodarme en la silla y ya está repartiendo papeles y lápices, dando instrucciones para la próxima hora. Niego con la cabeza: ¿alguna vez será más fácil la escuela?

conclusión

Hago mi mejor esfuerzo por responder a las preguntas, pero a la mitad de la prueba llego a la conclusión de que tengo que permanecer en el último lugar de mi clase o, para el caso, de cualquier clase. Es una condena. Dejo mi lápiz y recargo mi cabeza sobre el escritorio.

condena

Unos minutos después, escucho la voz de la señorita McCoddle en mi oído.

—Tú puedes hacerlo, Derek —susurra con amabilidad—. Sé que puedes.

No encuentro las palabras para decirle que estoy cansado de intentar, cansado de fracasar, así que permanezco mudo.

—El Derek Fallon que yo conozco no es un desertor —continúa—. Él nunca se rinde ante nada.

Levanto la cabeza y miro a la señorita McCoddle. Es una de las maestras más jóvenes que tiene la escuela, pero parece mucho mayor en comparación a cuando la tuvimos en el jardín de niños. Recuerdo lo amable que era conmigo cuando mi mamá solía dejarme por la mañana y yo me sentaba junto a la ventana a llorar. Siempre odié ver a mamá alejarse, pero la señorita McCoddle me tomaba de la mano y me llevaba a un sofá repleto de libros ilustrados y almohadas de colores. Tal vez porque me mira con la misma expresión cariñosa ahora o porque no quiero que mis compañeros vean que nuestra maestra se detiene tanto tiempo en mi escritorio, tomo el lápiz de su mano y me incorporo en mi silla. Por la sonrisa en el rostro de la señorita McCoddle cuando empiezo a trabajar casi vale la pena leer este ensayo tan aburrido sobre acueductos.

acueductos

Esa agradable sensación desaparece cuando me doy cuenta de que tendré que adivinar las respuestas de las últimas quince preguntas si quiero terminar a tiempo. Tacho las respuestas al azar y espero que algunas sean correctas.

enchiladas

La tortuosa mañana mejora un poquito cuando las señoritas de la cafetería nos sirven enchiladas para el almuerzo.

—La prueba estuvo brutal —dice Matt.

Umberto está de acuerdo.

brutal

—¡Basta de pruebas de práctica! Que nos den las reales de una vez y acabemos con esta tortura.

Carly finge que no se está dirigiendo a mí, mientras parte con mucha delicadeza sus enchiladas.

delicadeza

—No sé si es mi imaginación, pero creo que las pruebas de práctica cada vez son más fáciles.

—¡Vamos, Carly! Ninguna prueba es difícil para ti —dice Matt.

—¡Eso no es justo! —se enoja Carly—. Estudié durante tres horas anoche.

Desde hace poco me he dado cuenta de que defiendo mucho a Carly.

—Déjala en paz —le digo a Matt—. No es su culpa ser una cerebrito.

—No soy una cerebrito —dice Carly—. ¡Trabajo para ganármelo y lo saben!

Carly recoge sus cosas para cambiarse a otra mesa, pero alcanzo a tomar la orilla de su bandeja y le pido que se quede.

—¿Qué harás mañana? —le pregunto para mantener la paz.

Carly nos observa a los tres para asegurarse de que no la estamos engañando sólo para que se quede.

—Voy a salir con un amigo.

—Somos tus únicos amigos —se burla Matt—, así que debe ser uno de nosotros.

Carly toma la manzana de su bandeja y la lanza a Matt, quien la atrapa con una mano y le da una mordida gigante.

—Si de verdad quieren saberlo, voy a reunirme con El Cid —responde Carly.

¡Sorpresa!

paralizarse

ermitaño

Parece como si alguien hubiera rociado polvos mágicos en la mesa porque Matt, Umberto y yo nos paralizamos.

—¿Vas a ir a casa de El Cid después de la escuela? —pregunta Umberto.

—El Cid se queda en un hotel cada fin de semana, ¿recuerdas? Nos veremos ahí.

—¿Con o sin su casco especial? —le pregunta Matt.

Carly sonríe como el gato que se comió al canario.

—Jamás te lo diré.

—¡Nosotros queremos saberlo todo! —grita Umberto—. ¡No es justo!

—Se supone que no debemos guardar secretos entre nosotros —agrego yo—. No estás siendo una buena amiga.

—Sí lo soy para El Cid. No quieren que se convierta en un ermitaño, ¿o sí?

Carly revisa la hora y dice que tiene que ver a María antes de la clase de Ciencias.

—Nos está dejando atrás —dice Matt.

—Todas lo hacen —añade Umberto.

—Carly siempre será nuestra amiga —agrego esperando que sea verdad.

# Fuga de información

El sábado, mientras nos dirigimos hacia Culver City, me la paso molestando a Carly para que nos revele la identidad secreta de El Cid.

—¿Se quitó el casco anoche? —le pregunto—. ¡Por lo menos di eso!

molestar

Sólo puedo describir su sonrisa como un gesto demasiado misterioso.

—No diré una sola palabra.

—¡Se lo quitó! —le grito—. Lo sé porque estás sonriendo.

Me da un golpecito en el brazo.

—Deja de preguntar, Derek, porque no te diré nada —responde, pero no borra la sonrisa de su rostro.

—¡Vamos! —le ruego—. Dime algo.

—Te diré que nos divertimos tanto que me quedé a cenar.

—¡Entonces sí se quitó el casco! —actúo como si hubiera descubierto un hecho gigantesco sobre El Cid, aunque en realidad todavía no sé nada sobre él. Molesto a Carly el resto del camino hasta que se pone a platicar con mi mamá para obligarme a cerrar la boca.

Al llegar a Global Games me percato de que algo anda bastante mal.

Todos los ayudantes tienen cara de que alguien les robó la Navidad, Tom no tiene su sonrisa habitual y no hay bufet de bocadillos por ningún lado.

Carly se aproxima a su nuevo mejor amigo para ver si sabe algo. Matt, Umberto y yo preguntamos por ahí para averiguar qué está pasando, pero nadie sabe nada. Esperamos en silencio sepulcral hasta que Tom salta sobre una de las mesas y se dirige al grupo.

transgresión

—Hubo una transgresión en la confidencialidad del grupo —Tom le hace una seña a uno de los ayudantes, quien proyecta una imagen en una televisión gigante al frente de la habitación.

Todos murmuran sorprendidos, pero como soy un lector lento, tardo en averiguar lo que los demás cuchichean.

—Una persona con el nombre de usuario PORT47 ha publicado gran parte de los detalles de *Arctic Ninja:* los drones, los iglús, los *lemmings*, el código secreto, los narvales, todo —Tom se quita la gorra de beisbol y se frota la cabeza (hasta ahora me doy cuenta de que está calvo)—. ¿Alguien sabe cómo pudo suceder algo así?

Todos miramos a nuestro alrededor y nos preguntamos lo mismo. ¿Quién podría haber hecho algo así?

retrabajar

—Tendremos que retrabajar todo el juego, por desgracia —continúa Tom—, no podemos arriesgarnos a que se filtre más información a nuestra competencia, por lo que quizá tengamos que cancelar el grupo de prueba.

Varios de los chicos están visiblemente enojados.

—¡Eso no es justo! —exclama el chico resorte—. Una manzana podrida no debería estropear todo.

—Tampoco es justo que alguien haya compartido los detalles del videojuego en Internet —Tom explora la habitación, como si tratara de sacarle unos rayos X a nuestras almas para encontrar al culpable—. Que no les quede duda, vamos a averiguar quién hizo esto.

Escucho a Tom, aunque no puedo dejar de mirar la pantalla. El sitio *web* que filtró *Arctic Ninja* me resulta muy familiar y no puedo entender por qué... hasta que recuerdo que es un sitio de juegos que Hannah usa en su teléfono. Entrecierro los ojos y leo la información con más cuidado. Una creciente sensación de horror surge desde los dedos de mis pies y se extiende al resto de mi cuerpo cuando me doy cuenta de que el sitio contiene todos los aspectos del juego que compartí con Hannah cuando le presumí mi victoria. No. No. No. No. Esto no está sucediendo.

entrecerrar

—Llegaremos al fondo de esto —repite Tom—. Se los prometo.

Todos parecen preocupados, pero nadie tiene más miedo que yo.

¿Por qué siempre todo es mi culpa?

# ¿Debería confesar?

Finjo que tengo que ir al baño para enviarle varios mensajes a Hannah. Ella me responde que está ocupada y que me llamará más tarde. Le pido que lo haga lo antes posible con una docena de signos de exclamación, pero incluso así no es garantía de que me vaya a responder. Debí sospechar que la tutora número 13 sería de mala suerte.

mala suerte

Camino a casa, miro por la ventana e intento decidir qué haré. Mis amigos se quejan de lo injusto del incidente, pero yo mantengo la boca cerrada y me cuestiono si debo contarles acerca de Hannah.

Por un lado, mis amigos siempre tienen buenos consejos, sobre todo Carly. Por otro lado, me avergüenza que mi enorme boca sea la responsable de filtrar secretos corporativos y provocar el final de nuestro divertido grupo de prueba sabatino.

Umberto, Matt y Carly exigirían mi cabeza en una bandeja si se enteran de que fui yo quien reveló el secreto.

Al llegar a casa, decido tragarme el orgullo y confesarle todo a mis papás, asunto que parece más fácil de lo que es en realidad. Así que sigo a mamá desde el cuarto de lavado hacia la cocina y luego al *garage* hasta que se detiene en seco y me pregunta qué está pasando.

Cuando voy a la mitad de mi relato, mi papá se une. Al darse cuenta de que pude socavar el trabajo de sus colegas, se enfada un poco.

revelar

—Déjame ver si entendí correctamente —dice—. ¿Acordaste no revelar ninguna información sobre el nuevo juego, pero le contaste a Hannah todo al respecto?

—¡No me creyó que había ganado, por eso le expliqué cómo lo hice! ¡Jamás pensé que lo filtraría!

Mi mamá respira de manera profunda y luego baja la voz.

—¿Entonces le estabas presumiendo? ¿Eso fue lo que pasó?

Mi mamá sabe cómo llegar al fondo de las cosas en un segundo. Yo, con un poco de vergüenza, admito que así fue.

Casi puedo ver todos los engranes girando en el cerebro de mi papá mientras camina de un lado al otro.

—No podemos asegurar con certeza que Hannah sea la responsable de la fuga, así que no creo que debas decir nada por el momento. Mantengámoslo en secreto por ahora —dice papá.

Mi mamá deja caer el cesto de la ropa con tanta fuerza que varios de los calcetines vuelan hacia el pasto.

—Jeremy, no puedo creer que estés hablando en serio. Incluso si Hannah no es la responsable, Derek debe avisarles para que la investiguen.

—Son personas con las que he trabajado, ¿recuerdas? Les complicaríamos la existencia si actuamos de forma impulsiva —y lanza los calcetines a la canasta, como si eso decidiera todo—. Cerremos la boca por un tiempo y dejemos que los profesionales de Global Games trabajen.

impulsivo

Reviso mi teléfono para ver si Hannah me contestó, pero no lo ha hecho. Le pido disculpas a mi papá por décima vez antes de que mi mamá me interrumpa:

—Ya no eres un niño pequeño, Derek. Cuando das tu palabra, debe significar algo. Entiende, no puedes tirar tus principios a la basura sólo por presumir una puntuación alta en un videojuego.

Sé que mi mamá tiene razón, pero su comentario me hace enojar. Le chasqueo los dedos a Bodi para que me siga y paso el resto de la noche revisando mi celular, pero Hannah no me llama.

## Mi propia versión de Arctic Ninja

Decir que me preocupa que Hannah sea la fuga es una obviedad. Le mando un millón de mensajes de texto, incluso estudio el sitio *web* que publicó la historia en busca de pistas. Mis papás discuten sobre el mejor curso de acción, mientras yo camino con la cabeza gacha y trato de mantenerme fuera de su camino.

obviedad

Resulta un verdadero alivio que la señora Miller, la maestra de Ciencias, nos dé un poco de tiempo libre al final de la clase. Matt, Umberto y yo usamos el tiempo para maquinar diferentes maneras de ganar en *Arctic Ninja*. Ya que pienso mejor con un plumón en la mano, dibujo los diferentes personajes en mi cuaderno mientras hablamos.

maquinar

monólogo

unidos

roer

Después de un monólogo ridículo acerca de cómo vencerá a El Cid, Matt camina hacia mi escritorio y se ríe cuando observa mis dibujos.

—¡Los narvales no usan sombreros! Es lo más ridículo que he visto en mi vida.

—No es más ridículo que una esponja que vive en una piña.

—Oye —dice Matt—, ¡tal vez podrías llamarlo Skippy González!

Umberto saca un plumón de su mochila y también empieza a dibujar.

Cuando Umberto entró a nuestro salón, solíamos pelear sobre quién era el mejor dibujante. Ahora nuestro amor por los dibujos es algo que nos mantiene unidos como amigos.

Matt pasa las páginas de mis cuadernos, y se ríe de varios de mis dibujos: el muñeco de nieve de *Arctic Ninja* que roe unos huesos; Calvin, Hobbes y Skippy aferrándose a un trineo mientras saltan por una colina cubierta de nieve y los drones asesinos que escriben: "Entreguen a Dorothy", a todo lo largo y ancho del cielo.

A Matt le gustan mucho mis dibujos, porque le parecen muy alocados, así que decido que les sacaré algunas fotos con mi teléfono para enviárselas a mi papá.

Volteo a ver si a la señora Miller le importa que estemos jugando, pero ella está ayudando a Andy con la tabla periódica, así que me dirijo a la parte delantera del salón para ver qué hace Carly.

No me escucha acercarme, y me sorprende ver los garabatos en el margen de su cuaderno. Reconocería la escritura barroca de Carly en cualquier lugar, pero me impresiona ver las palabras que ha escrito: "Derek Fallon".

barroca

El sonido de mis ojos estallando fuera de mi cabeza quizá la asusta, porque Carly se lanza sobre su cuaderno como si estuviera tratando de apagar un incendio.

—Siempre hago garabatos. Me ayuda a pensar —dice Carly.

Me alegro de que Matt se encuentre en el otro extremo del salón, porque estaría torturando a Carly ahora mismo.

segura

Carly siempre es tan segura de sí misma que es extraño verla nerviosa.

—Yo también garabateo todo tipo de cosas —le digo para hacerla sentir mejor—. Mira mi narval de *Arctic Ninja*.

¡Hola!

nerviosa

Carly se siente tan aliviada de que no mencione nada sobre mi nombre en su cuaderno, que se ríe mucho más tiempo del que un narval con un sombrero merece que se rían de él.

Luego me obliga a mostrarle todas mis ilustraciones antes de dirigirnos a nuestra siguiente clase.

Cuento todo esto sólo para que conste: ¡una chica garabateó mi nombre en su cuaderno!

## Diversión inesperada

*C*uando al fin me trago mi orgullo y le pido ayuda a Carly para estudiar durante la semana, me cuenta que su prima Amanda de San Diego está de visita, pero que puede estudiar conmigo de todos modos. He aquí un acertijo: ¿qué es peor que estudiar con una chica? Respuesta: estudiar con dos.

Voy a casa de Carly con tanto entusiasmo como si fuera al dentista para que me arrancara todos los dientes.

Su prima Amanda es mucho más alta que Carly; incluso es todavía más alta que yo. Es un poco tímida y se ríe con nervios ante todos mis pobres intentos de bromas que hago para relajarnos.

terrier

—Estamos viendo trucos de animales en YouTube —me dice Carly—. Mira este terrier, hace más cosas que Frank.

El video es divertido, y por un minuto me preparo para una tarde de videos de animales haciendo bromas, pero debería conocer mejor a mi amiga Carly.

Después del video, vamos a la mesa del comedor, que está organizada como una mini biblioteca con tazas llenas de lápices, borradores y montones de papel. Le digo a Carly que no tenía que molestarse tanto.

—¿De qué hablas? Así suelo hacer la tarea —Carly sacude de la mesa las migajas de un borrador y me ofrece un asiento.

—No te preocupes, Derek —me aclara Amanda—, tenemos las mismas pruebas en mi escuela y también tengo miedo de reprobarlas.

Ahora siento que Amanda se parece menos a la prima perfecta de Carly y un poco más a mí.

La miro de cerca. Su pelo es más oscuro que el de Carly y muy largo, le llega casi hasta la cintura. También lleva diminutos pendientes de perlas, tan brillantes como sus dientes súper blancos.

—Mis papás siguen contratando tutor tras tutor, pero no estoy segura de que eso sirva de algo —continúa Amanda.

—¡Yo pienso lo mismo!

—Sé que quieren ayudarme, pero creo que es un desperdicio de dinero.

—Y de tiempo.

Carly nos señala a los dos.

contratar

—Ya que ambos son mis amigos, pensé que estudiar juntos sería divertido.

—¿Pensé que Amanda era tu prima?

—Es una de mis mejores amigas también, ¿de acuerdo? Y para que lo sepan de una vez: ninguno de los dos puede irse hasta que no salgan bien en alguna prueba de práctica.

Amanda me lanza una sonrisa cuando Carly se distrae. Siento que mis mejillas se encienden; no esperaba tener tanto en común con la prima de Carly. La tarde se transforma de una cámara de tortura medieval en una reunión divertida, siempre y cuando Amanda no me gane en la prueba.

Pero por supuesto que me gana (a ninguno de los dos nos va bien, pero su puntaje es mayor que el mío). Carly es una tirana cuando se trata de practicar; nos obliga a

tirano

tomar prueba tras prueba. Después de una hora, nos permite un descanso para comer un bocadillo.

Mientras disfrutamos de una mezcla casera de frutos secos, con muchas nueces y chispas de chocolate, Carly le cuenta a su prima sobre mis cuadernos llenos de dibujos de palabras complicadas.

—¿Y cuántos tienes? —me pregunta Amanda.

—¿Cuadernos o dibujos? —digo.

—Dibujos.

Le explico que son muchos como para contarlos, pues son más de mil.

—Tú piensas que eres un mal estudiante —dice Carly—, pero mira cuántas palabras has aprendido.

—Sin duda, eres el rey del vocabulario. —dice Amanda y hace una reverencia.

—El sensei —añade Carly.

sensei

Por un segundo, albergo la sospecha de que se están burlando de mí, pero luego me doy cuenta de que son sinceras.

—Es cierto que he aprendido muchas palabras —admito.

—¡Muy bien! Ahora puedes ponerlas en práctica —Carly despeja rápidamente la mezcla de frutos secos y trae de vuelta el papel y los lápices.

Hubiera imaginado que tanta adulación era sólo una manera de conseguir que me concentrara. Sin embargo, me siento un poco mejor acerca de estudiar y me va bien en la siguiente sección.

adulación

Mamá me manda un mensaje para avisarme que papá y ella me esperan para ir a visitar a la señora Mitchell en su nueva casa en Calabasas, así que tengo que despedirme. Carly y Amanda parecen un poco tristes de verme partir.

En el camino a Calabasas, mi mamá me da un sermón sobre cómo todas estas horas de estudio darán resultados. Aprecio sus pensamientos positivos, pero me pregunto si ésta es una de las raras veces en que mamá no tiene razón. Observo por la ventanilla los coches que pasan zumbando y espero que no sea así.

# El día de la verdad

guillotina

Por culpa de mi mamá, el sábado ha pasado de ser el día más divertido en el "día de insistir que le cuente a Tom todo sobre Hannah". Mamá incluso obliga a papá a ir conmigo para asegurarse de que lo haga.

Nos dirigimos a Global Games en silencio, como si los dos fuéramos camino a la guillotina.

—Sabes que la confidencialidad es importante para estas compañías —comienza—. Gastan miles de millones de dólares para desarrollar sus películas y videojuegos, así que no pueden darse el lujo de que haya fugas de información, sobre todo en estos días en que las redes sociales están por todas partes y cualquier persona puede tomar una foto con un teléfono y subirla a Internet para que la vea el mundo entero.

Me doy cuenta de que es sólo la punta del iceberg del sermón de papá, así que lo interrumpo a la primera oportunidad.

iceberg

—Sólo le mencioné algunos detalles sobre el juego a Hannah. ¿Cómo podía saber que resultaría ser una espía?

No tengo el valor para contarle a papá que Hannah por fin me contestó ayer. Me respondió sólo una palabra en un mensaje de texto: "Perdón". Como si una simple disculpa pudiera compensar el tsunami de problemas que dejó en su estela.

tsunami

Cuando papá y yo al fin nos encontramos con Tom en el grupo de prueba, mi papá me da un empujoncito. Espero a que Tom termine de hablar por teléfono y luego me aclaro la garganta.

—Creo que tengo una idea de quién es la persona responsable de filtrar todos los detalles de *Arctic Ninja* —le digo.

Tom me mira, pero le habla a mi papá.

—Jeremy, me sorprende que Derek esté involucrado. Sabes muy bien lo importante que es mantener en secreto nuestro material.

Mi papá me indica con un gesto que debo continuar.

Entonces le cuento a Tom la triste historia de Hannah y el juego.

—Derek —me interrumpe papá—, esto no se trata de Hannah, se trata de ti.

—Sé que no debía presumirle a nadie sobre el juego. ¡Pero fue Hannah quien lo publicó en Internet, no yo! No pueden culparme por eso.

atención

Tom me escucha con atención, después piensa durante algunos segundos antes de responder:

—Aquí en Global Games nos tomamos este tipo de cosas muy en serio, así que pusimos a un equipo de personas a investigar inmediatamente. No pasó mucho tiempo antes de que nuestros expertos rastrearan la computadora de la que provenía la publicación.

Doy un suspiro de alivio.

—¡Uf, qué bueno! Tal vez tengan más suerte para rastrear a Hannah que yo. Sólo me contestó un mensaje de texto y no ha respondido mis llamadas.

—Pues en realidad —comienza Tom—, no se trataba de tu amiga Hannah. Era alguien del grupo de prueba... quien acaba de ser escoltado fuera de las instalaciones.

Observo alrededor de la habitación para ver quién falta.

Después de hacer un recuento mental, me doy cuenta de que el chico origami no está por ningún lado.

—¿Fue Toby?

—Supongo que él tampoco pudo esperar para presumir su puntuación —dice Tom—. Lo malo es que no jugará *Arctic Ninja* nunca más.

Entonces me doy cuenta de que Hannah no hizo nada malo. Volteo a ver a mi papá, quien no parece feliz a pesar de la buena noticia.

—Tienes que entender que cometiste un grave error al divulgar detalles del juego, incluso si Hannah no fue quien los publicó —me dice.

Le digo que lo entiendo, pero por dentro lo único que estoy pensando es que no fue mi culpa, hasta que Tom me trae de vuelta a la realidad.

—El hecho de que tu tutora no fuera la fuga no quiere decir que no estoy decepcionado de ti, Derek.

Tom espera que responda, pero lo único que puedo hacer es decir que lo siento una vez más.

—Disculparse es una cosa —continúa Tom—, pero espero que hayas aprendido la lección. Si fueras mayor de edad, habría consecuencias legales.

Mi papá y Tom me miran expectantes, y al fin entiendo lo importante que es la confidencialidad. Por primera vez en mi vida no quiero ser mayor de edad; me siento feliz de tener doce años.

Cuando papá se va con Tom a un lado para hablar en privado, paso a través de la habitación lo más rápido que puedo para encontrar a mis amigos. De seguro me tocará otro sermón en el camino a casa y me gustaría no haber decepcionado a Tom, pero ahora tengo que contenerme para no gritar de emoción.

¡Todavía puedo jugar *Arctic Ninja!*

## Un arrebato

Resulta que la razón por la que Hannah no me había llamado es que su abuelo fue trasladado de urgencia al hospital. Ella tuvo que conducir a través del Valle de la Muerte y Joshua Tree para verlo. Me dijo que era una parte tan desolada del estado que su teléfono no tenía recepción y era difícil contestarme. Sé que mamá piensa que Hannah podría haberse tomado un minuto en el hospital para devolver alguna de mis frenéticas llamadas, pero como los exámenes estatales son la próxima semana, sólo le dijo a Hannah que se alegraba de que su abuelo estuviera bien y le pidió que viniera a verme esta semana. Además decidí evitarle a Hannah los detalles de la

desolado

horrenda filtración de *Arctic Ninja* y concentrarme en estudiar matemáticas y artes del lenguaje.

—Estaba tan preocupada por mi abuelo —dice Hannah—. ¡Y tuve que manejar por horas! Horas de desierto y árboles increíbles. Era como estar en Marte.

Cuando le digo a Hannah que no hay árboles en Marte, abre el motor de búsqueda de su teléfono más rápido aun de lo que Frank tarda en robarse un sándwich a medio comer. Me muestra una foto.

—¿Ves? Sí hay árboles en Marte.

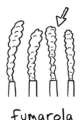

fumarola

Le explico que los picos en la foto pueden parecer árboles, pero que en realidad son fumarolas de dióxido de carbono.

Ella lee el artículo de la foto y me dice que me equivoco, que son árboles, lo que conduce a un animado debate sobre creer todo lo que lees en Internet. Le digo a Hannah que examinamos esas mismas fotografías en la clase de la señora Miller el año pasado y nos dimos cuenta de que alguien había publicado las fotos con afirmaciones falsas en un impostor sitio de ciencia. Me siento feliz de ser más inteligente que una estudiante universitaria,

impostor

por lo menos en este caso particular. Sin embargo, también pienso: "¡Qué mala tutora tengo!".

No lo había planeado así, pero toda la charla sobre sitios en la red me lleva a contarle a Hannah sobre el escándalo de *Arctic Ninja*.

escándalo

Hannah parece devastada cuando le digo que pensé que ella había publicado los datos en línea. Se sienta con calma sobre la silla de la cocina.

—¿Por eso me mandaste un millón de mensajes de texto? Pensé que estabas preocupado por tus pruebas.

—Estoy muy preocupado por mis pruebas. Y si sabías que lo estaba, ¿por qué nunca me llamaste?

Ella se queda mirando la marca de café sobre la mesa de la cocina que mi mamá ha tratado de quitar un millón de veces, pero está incrustado para siempre en el material.

—¿Pensaste que divulgué un secreto? Yo nunca haría eso.

Parece que Hannah está a punto de llorar, lo que amenaza con provocarme un ataque de pánico. ¿Qué se supone que debo hacer en una situación así? ¿Pedir disculpas? ¿Reconfortarla? ¿Esconderme?

Sin embargo, con la misma rapidez, la tristeza de Hannah se convierte en ira.

—Mientras yo estaba visitando a mi abuelo enfermo, ¿tú le dijiste a la gente de Global Games que les robé información? ¿Les dijiste mi nombre?

—¡No! O por lo menos creo que no. No sabía nada de ti. ¿Qué se supone que debía pensar?

La atención de Hannah ya no está fija en la mancha de café sino en mí.

—Derek, eres un chico inmaduro que nunca pasará esas pruebas.

ponzoñoso

Sus palabras ponzoñosas me lastiman como si fuera uno de los carámbanos en *Arctic Ninja*.

—¿Por qué me estás diciendo eso? —le pregunto—. Supuse que habías filtrado la información, pero me equivoqué. ¡No me ofendas!

—¿Eso significa que no debería burlarme de que lees como un niño pequeño también? ¿O imitar cómo todavía tienes que subrayar cada frase con tu dedo mientras lees?

Estoy demasiado anonadado para responder, pero no tengo que hacerlo.

—Empaca tus cosas y vete —le dice mi papá a Hannah—. Ésa no es la forma en que tratamos a las personas en esta casa.

Hannah no parece avergonzada por el hecho de que mi papá apareció de repente en la cocina. Lo fulmina con la misma mirada fría que usó en mí.

—Buena suerte en tus pruebas, Derek; la necesitarás —Hannah toma sus cosas y azota la puerta al salir.

Mi papá niega triste con la cabeza.

—Ese arrebato fue totalmente inadecuado. Es obvio que Hannah ha estado bajo mucho estrés por lo de su abuelo, así que no creas una palabra de lo que dijo. Está equivocada sobre ti y tú lo sabes.

arrebato

Pero la verdad es que no lo sé. Hannah podría tener toda la razón acerca de que no pasaré esas pruebas.

—Yo sólo venía por un poco de helado de cerveza de raíz —justifica mi papá—. ¿Quieres uno?

Me alegro de no tener que trabajar más con Hannah, incluso si ella no fue quien filtró los secretos de *Arctic Ninja*.

# ¡Ayuda!

serpentina

complejo

Me despierto sudando de la pesadilla más vívida que he tenido. El entorno de mi sueño es similar al mundo cubierto de nieve de *Arctic Ninja*, pero en lugar de ser atacado por malévolos muñecos de nieve, me persiguen lápices gigantes que caen del cielo. Corro en un patrón en forma de serpentina tratando de escapar, lo cual no ayuda, porque los lápices tienen un complejo sistema de localización y giran al mismo tiempo que yo. Grito pidiendo ayuda, pero nadie me escucha. Salto de la cama y casi me tropiezo con Bodi, que dormía en el suelo a mis pies.

Me toma varios minutos tranquilizarme, lo suficiente para ponerme algo de ropa. Después de la sesión de hoy sólo queda una semana más del grupo de prueba, y ya estoy pensando en lo mucho que lo voy a extrañar. Sin embrago, no extrañaré que mis pesadillas sucedan en el mundo helado de *Arctic Ninja*.

Mientras estaba en la mesa de bocadillos, Umberto casi me atropella con su silla de ruedas.

—Hoy es el día de las sugerencias. Podemos darles nuestras propias ideas para *Arctic Ninja* —me dice un millón de ideas que ha estado guardando.

Cuando Matt se nos une, también tiene muchas ideas. Yo, por el contrario, he estado tan preocupado por lo que me dijo Hannah que apenas he tenido tiempo para pensar en posibles mejoras para *Arctic Ninja*.

mejora

—No voltees ahora —le advierte Matt a Umberto—, pero aquí viene tu héroe.

En efecto, cuando nos damos la vuelta, Carly viene caminando hacia nosotros con El Cid.

—Nos gustaría juntarnos con ustedes hoy —dice Carly—. ¿Está bien?

Umberto apenas logra balbucear un sí y Matt se apresura a despejar un lugar en la mesa. Le pregunto a la estrella de los videojuegos si ha pensado en mejoras.

El Cid busca en un bolsillo debajo de su capa negra y saca un pedazo de papel con una larga lista. Umberto estira el cuello para leerlo.

—¡Por supuesto! —dice Umberto—. El código secreto también debería estar en varios idiomas, no sólo en inglés, para hacerlo más difícil.

—Dado que los esquimales tienen casi doscientas palabras diferentes para decir "nieve", El Cid piensa que el código secreto debería tener un montón de diferentes opciones también —dice Carly.

—Las personas que viven en el Ártico tienen muchas palabras para la nieve —les digo—, pero tienen más de mil palabras diferentes para denominar a los renos.

Cuando Umberto me mira con sorpresa, me encojo de hombros y le digo que me gusta ver programas de animales.

expedición

Matt ni siquiera me escucha, está contando una historia sobre la expedición de su tío a Alaska, pero El Cid me pone atención. Escribe un mensaje en su teléfono y me lo muestra para que pueda leerlo.

Carly se asoma por encima de mi hombro para leerlo también.

—¡Vaya! —dice Carly—. Parece que El Cid está impresionado.

—Almaceno mucha información aleatoria; por desgracia la mayor parte es bastante inútil —pero eso no quiere decir que no me sienta bien de haber impresionado a todos estos cerebritos.

impresionar

Tom nos llama de vuelta a la habitación y nos dice que la empresa en realidad quiere escuchar nuestras propuestas para mejorar el juego. Nos sentamos en nuestras consolas y anotamos todas las cosas interesantes que nos gustaría encontrar en *Arctic Ninja* cuando salga al mercado el año que viene.

Después de eso, salimos para tomar el almuerzo: un banquete gigante de hamburguesas y puré de papas. Quedo tan lleno luego del bufet que apenas soy capaz de levantar el controlador de la mesa.

Me sorprende cuando El Cid se nos une para la sesión de la tarde. Se sienta en silencio entre Carly y yo, y cuando Tom suena su silbato para que comencemos, El Cid me dedica un pulgar hacia arriba.

Quizá porque es una de las últimas sesiones, el ambiente se percibe más emocionante que de lo habitual. Los chicos que suelen ser tranquilos vitorean cuando su narval evita un arpón fatal o encuentra una parte faltante del código.

Siempre había creído que El Cid conseguía puntuaciones tan altas porque era rápido, pero sentado junto a él, me doy cuenta de que parece relajado y casual mientras consigue más puntos que el resto de nosotros juntos.

Al observar cómo escala la puntuación de El Cid, me pongo a pensar en mi propio desempeño. Me refiero a que conseguir una puntuación alta en un videojuego tal vez no es tan diferente a sobresalir en una prueba estatal. ¿Acaso ambas cosas no requieren de concentración? ¿Y quién hubiera sospechado que se tiene que estar relajado? Soy una de las personas más relajadas que conozco (cuando no estoy tomando un examen, claro está).

embelesado

Me siento tan embelesado con este nuevo concepto que no me doy cuenta de que mi pobre narval acaba de ser empalado por un carámbano gigante. Mientras

empalado

empiezo de nuevo el nivel, miro a El Cid, quien ha conseguido la increíble cantidad de 276 425 puntos.

Sea quien sea el que está debajo de ese casco, es un experto en llegar al siguiente nivel en el juego. Para mí, el siguiente nivel es pasar y mantenerme al día con el resto de mi clase. Quizá acabo de perder este nivel de *Arctic Ninja*, pero no estoy dispuesto a perder un nivel en la vida real.

Voy a idear el modo de liberar mis habilidades de juego en las pruebas estatales.

idear

liberar

## ¿Que quieren que hagamos qué?

emergencia

**A** la tarde siguiente decido convocar una reunión de emergencia con mis amigos. También invito a la prima de Carly, Amanda, pues sigue en la ciudad el fin de semana.

—Observar a El Cid jugando me dio una idea para pasar los exámenes estatales.

Amanda casi se ahoga con su refresco. Carly se ríe un poco y después le ofrece una servilleta.

—Yo necesito mucha ayuda —me dice Amanda—. ¿Cuál es tu plan?

—Lo crean o no, ganar en *Arctic Ninja* requiere muchas de las mismas habilidades necesarias para aprobar los exámenes estatales.

—Nunca he visto narvales o muñecos de nieve asesinos en las pruebas, ¿o tú sí? —bromea Umberto.

—Todo es cuestión de actitud —explico—. He estado tan concentrado en no reprobar que no me he divertido.

actitud

Esta vez es el turno de atragantarse de Matt, pero a diferencia de Amanda, Matt rocía un trago de malteada de chocolate por toda la habitación.

—¿Quieres decir que tomar las pruebas estatales puede ser divertido? Porque eso sería una locura.

—No digo que las pruebas sean divertidas —explico—; sólo estoy diciendo que debemos aprovechar y tener presentes nuestros puntos fuertes.

Umberto y Matt me observan sin comprender nada.

—Creo que es buena idea —reconoce Carly—. Tratar de encontrar una parte de la prueba con la que te puedes identificar, como haces con tus dibujos para ilustrar palabras complicadas.

—¿Cómo podemos divertirnos si no sabemos cuáles serán los temas de las pruebas? —pregunta Amanda—. Jamás se sabe

geología

horóscopo

lo que habrá en cada prueba. No me molestan los ensayos sobre un tema *cool*, como la geología o los horóscopos, pero ¿y si se trata de un tema del que no sé nada? ¿Cómo me divierto en ese caso?

Es una buena pregunta, y estuve trabajando en el problema toda la noche. Sí, aunque no lo crean, pasé un sábado por la noche resolviendo esto. Sorpresa, sorpresa.

—Umberto, ¿cuánto te tardas en crear una aplicación de teléfono?

—Podría tener una primera versión en un par de semanas.

—No puedo creer que trabajes tan rápido ahora —le dice Matt a Umberto—. La primera aplicación que diseñaste te tomó varios años.

—¿Quieres que Umberto anime tus dibujos? —pregunta Carly.

Le explico que eso es lo que tenía en mente, pero por desgracia es demasiado tarde. Hora del plan B (sí, pasé la noche del sábado esbozando dos planes). Camino hacia el pasillo y grito:

—¡Papá! ¿Puedes venir un momento, por favor?

Mi papá se nos une.

Está un poco fachoso; noto que no se ha cambiado de ropa desde que limpió el *garage* en la mañana.

—¿Necesitan algo, chicos?

—Sí —le respondo—, necesitamos a alguien que pueda ayudarnos a dibujar guiones gráficos y que sea rápido.

Una amplia sonrisa se extiende por su rostro, como si hubiera estado esperando toda una eternidad para que alguien le pidiera justo eso.

Fachoso

## Mi tipo de instructivo

La idea es muy sencilla: quiero encontrar una manera de visualizar las lecturas de las pruebas de la misma forma en que mis dibujos me ayudan a visualizar las palabras complicadas. Eso es más o menos lo que hace mi papá para las películas. Dibuja los paneles de cada escena para ayudar al director a visualizar la película antes de que alguien encienda una cámara. A mí me tomaría meses hacer ese tipo de dibujos; por suerte, vivo con un dibujante que, hasta hace muy poco, hacía justo eso para ganarse la vida.

Mi papá va a su despacho y regresa con su gran bloc rectangular de dibujo y muchos plumones. Carly, por supuesto,

rectangular

trajo suficientes pruebas de práctica como para mantener al estado completo de California ocupado durante los próximos dos años.

Matt, Umberto, Amanda y yo miramos a Carly mientras desempaca su mochila.

—¿Quién anda cargando con pruebas de práctica en un domingo? —le pregunta Matt—. ¡Eres un monstruo!

—Un monstruo que quiere rescatar a un amigo —le contesta Carly con aire de suficiencia.

Le digo a Matt que deje en paz a Carly. Ella tiene razón. Necesito su ayuda ahora mismo para que mi plan funcione.

Carly me ofrece una de las pruebas para comenzar, pero declino con cortesía. La lectura en voz alta es algo que evito a toda costa. Carly se da cuenta del error y empieza a leer el pasaje ella misma.

Antes de que Carly haya terminado la primera línea, mi papá ya está dividiendo la página en varios paneles perfectos.

El ensayo trata sobre la leyenda de Pie Grande, y mi papá dibuja una tira cómica con los Pie Grande más divertidos y originales que ninguno de nosotros ha visto.

Pie Grande

Todos nos agolpamos a su alrededor y comentamos cada panel mientras lo crea. Papá también se divierte mucho de la misma manera en que disfrutaba jugando mis videojuegos, pero con una seriedad en la mirada que me resulta familiar.

Cuando Carly lee las preguntas al final del ensayo, mi papá levanta su guion para que lo podamos ver.

—¿Qué grupo de personas ha reportado el mayor número de avistamientos de Pie Grande? —pregunta Carly.

Umberto sabe la respuesta, pero espera a que responda. Señalo a uno de los paneles que mi papá acaba de dibujar de un hombre en un caballo que persigue una manada de búfalos.

mítico

—¿Los nativos americanos?

—Muy bien —dice Carly con su voz de maestra—. Amanda, va una fácil. ¿De qué está cubierto el mítico Pie Grande?

Amanda traza el dibujo de mi papá con su dedo.

—¿Piel peluda color marrón?

—¡Felicidades! —dice Carly—. Acaban de pasar el primer ensayo de la prueba de práctica.

—Genial, ya solamente nos faltan otros cincuenta —le digo.

Mi papá me mira sonriendo.

—Un dibujo a la vez, Derek. ¿Crees que puedas hacer eso?

Miro a Carly tan feliz en su modalidad de maestra, y a Amanda tan ansiosa por encontrar una estrategia que la ayude a pasar las pruebas.

Necesito toda la ayuda que pueda conseguir, y todos en la sala lo saben. Voy a pasar estas pruebas de la misma manera en que juego mis videojuegos: una pantalla, una imagen, un movimiento a la vez.

exponer

Mi papá le da vuelta a la página de su cuaderno y expone una hoja de papel en blanco.

—¿Listo? —pregunta.

Y lo estoy.

## Dibujos por doquier

frenesí

**P**or mucho que Carly intenta organizar todas las hojas del bloc de mi papá, la sala se ve como si hubiera sido golpeada por un violento huracán. Papá está en un frenesí creativo: dibuja, tacha, empieza de nuevo y las páginas vuelan por doquier. Al final de la tarde, hemos respondido la mayor parte de las preguntas de la prueba correctamente (no me pregunten sobre las palabras homófonas; ésas las tuve mal todas las veces).

Amanda se deja caer en el suelo al lado de Bodi.

—¡No puedo creer que me encuentro en Los Ángeles estudiando con mi prima y sus amigos, y de un mado tan divertido!

Carly le dice a su prima que se lo compensará en su próxima visita y la llevará a su cementerio favorito en Hollywood. Los demás vemos a Carly como si acabara de eructar delante del papá.

cementerio

—Nos encanta pasear por los cementerios y ver todas las lápidas —dice Carly—. ¿Qué hay de malo en eso?

lápidas

Amanda y ella nos miran con fijeza hasta que los tres cambiamos de tema.

Mamá llega con una cubeta gigante de pollo frito que provoca que Matt salte por encima del sofá para alcanzarla.

Al darse cuenta de que por poco tira a Umberto de su silla de ruedas, baja la velocidad y espera a que todos los demás se sirvan primero.

—Jeremy, creo que éste es tu mejor trabajo hasta ahora —mamá pone su brazo alrededor de mi papá y lo abraza con mucha fuerza. Me doy cuenta de que podrían empezar a besarse frente a mis amigos, así que me preparo para fingir que me estoy asfixiando y necesito que alguien me aplique la maniobra de Heimlich. Por suerte, mi papá solamente le dedica a mi mamá una cálida sonrisa.

Amanda sumerge su rostro en el pelaje de Bodi. Se ve tan feliz.

Sin embargo, Carly sigue trabajando, acomoda los guiones gráficos en una pila gigante mientras todos los demás comen. Me acerco a ayudarla, pero sé que no me va a dejar hacer su trabajo.

—Si puedo ver los ensayos en mi cabeza, como si fueran un videojuego o tira cómica, tal vez logre responder las preguntas tan bien como lo hice hoy —digo.

Carly mira a su alrededor para asegurarse de que nadie está observando, y luego se inclina para darme un beso en la mejilla.

—Lo harás muy bien. ¡Estoy segura!

Me quedo quieto, pero muy impactado. ¿Acaba de suceder lo que creo que acaba de suceder? ¿O hacer tarea en un domingo me causó alucinaciones?

¡Acabo de recibir mi primer beso!

¿Qué se supone que debo hacer ahora?

impactado

alucinación

# ¿Lo había planeado?

**E**l beso de Carly me mantiene distraído durante el resto del fin de semana, lo cual sin duda es bueno, porque me impide preocuparme por la escuela. Trato de analizar lo que pasaba por su mente: ¿había planeado darme un beso?, ¿o fue una muestra espontánea de apoyo para mi nueva idea de estudio? ¿Tenía que besarla de vuelta? ¿Es algo que se quedará flotando entre nosotros y afectará nuestra relación? Sólo puedo esperar que la respuesta a esta última pregunta sea un rotundo no.

rotundo

espontáneo

La verdad es que mentiría si no dijera que una parte de mí está un poco emocionada por algo tan inesperado. Hace unos meses, cuando Carly salía con ese surfista,

Crash, me sentí un poco celoso, pero no es como si le hubiera dedicado mucho tiempo a pensar cómo se sentiría ser su novio desde entonces (un par de minutos, tal vez, pero no mucho.)

Por muy tentador que me resulte diseccionar este nuevo evento, es el momento de poner mi cara de póquer y aplicar mi nuevo plan de estudio para pasar estos horribles y espantosos exámenes.

inesperado

Al ver a Carly esta mañana junto a su casillero, todos mis pensamientos disparatados salen volando por la ventana, porque ella se porta cien por ciento normal y no menciona nada acerca de su beso en mi mejilla. Supongo que eso es bueno, pero su indiferencia hace que me pregunte si acaso no me imaginé lo que pasó.

espantoso

—Esta mañana recibí un mensaje de texto de Amanda —dice Carly—. Está muy entusiasmada por la prueba de hoy. Estoy tan contenta de que estuviera en la ciudad para nuestra sesión de estudio.

indiferencia

—Yo no aprendo visualmente como tú —agrega Umberto—, pero aun así pienso que la idea del guion gráfico será muy útil para estudiar.

Matt trae puesta su camiseta de la buena suerte de Tony el Tigre; se la pone cuando quiere que las cosas le salgan de maravilla. No sé qué tan maravillosas serán las pruebas; me daré por bien servido si logro pasarlas.

Nuestro director Demetri no está para supervisarnos. La señorita McCoddle sonríe y nos dice que sólo tenemos que hacer nuestro mejor esfuerzo.

supervisar

Carly se gira en su asiento para desearme buena suerte, pero yo sólo puedo pensar en ese beso. Agito la cabeza para alejar el pensamiento entrometido y abro el cuadernillo de mi prueba tan pronto como la señorita McCoddle nos indica que podemos hacerlo.

entrometido

El primer ensayo es una carta al editor de un periódico, una queja de una glorieta peligrosa en la carretera. Imagino las ilustraciones que mi papá hubiera dibujado, visualizo autos circulando alrededor de la glorieta. Respondo tres de las cuatro preguntas con facilidad y adivino en la última. Hasta ahora, todo bien.

glorieta

El siguiente ensayo se trata de grandes felinos con motas, como el guepardo, el

ocelote

acústica

bongo

tableado

jaguar, el leopardo y el ocelote. He visto un montón de programas de animales en la televisión, por lo que en este ensayo me va muy bien.

Pero el tercer ensayo me saca de mi zona de confort. Se trata sobre la acústica y tiene varios términos técnicos. Puesto que el tema principal es el sonido, trato de concebir una banda sonora interna para acompañar las imágenes que veo en mi mente. Hago un buen uso de los millones de caricaturas que he visto en mi vida, visualizo varios efectos (tipo: *¡Crash! ¡Ping! ¡Bum!* y *¡Crunch!*) de mis cortos favoritos de los *Looney Tunes* y de Hanna-Barbera (por favor, visualicen aquí el bongo de Pedro Picapiedra corriendo).

—Y... ¡se acabó el tiempo! —estoy casi al final de la prueba cuando escucho la voz de la señorita McCoddle. Parece tan emocionada como nosotros de que la prueba de hoy por fin haya terminado—. Va a ser una semana difícil; tenemos cuatro secciones más que trabajar, pero considero que es hora de celebrar.

La señorita McCoddle saca dos bolsas de tela tableada de detrás de su escritorio.

Mete la mano dentro de la primera y saca dramáticamente un manojo de plumones Sharpie de colores, atados con un grueso listón. Le entrega los plumones a María, quien lee la tarjeta adjunta. GRACIAS POR SER UNA CLASE TAN COLORIDA. María la ayuda a repartir los manojos de arcoíris entre los chicos del salón.

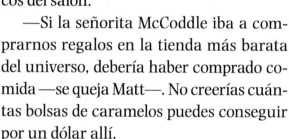

dramáticamente

—Si la señorita McCoddle iba a comprarnos regalos en la tienda más barata del universo, debería haber comprado comida —se queja Matt—. No creerías cuántas bolsas de caramelos puedes conseguir por un dólar allí.

—¿Bromeas? Yo me acabo mis plumones tan rápido que sería feliz si me regalara un paquete nuevo todos los días de la semana —le digo.

—No puedo esperar para platicar con Amanda esta noche y saber cómo le fue —Carly se gira para mirarme—. Entonces, ¿cuál es el veredicto?

Por un momento creo que está refiriéndose al beso de ayer, pero después me doy cuenta de que está hablando de la prueba.

—No quiero estropearlo, pero creo que me fue bien.

estropear

La celebración sigue con helado de vainilla y chocolate que la señora Pankow dejó en la cafetería, como recompensa sorpresa por nuestro duro trabajo. Lleno mi tazón con tanto helado que podría ahogar un camión de dieciocho ruedas. De pronto, siento que pasar las pruebas estatales es una posibilidad real. Mientras me lleno la boca de helado, lo único que pienso es que no puedo esperar a llegar a casa para darle las gracias a mi papá.

## Mi contribución

Utilizo mis nuevas habilidades de guionista gráfico el resto de la semana, y espero conseguir suficientes respuestas correctas para aprobar. Mi teoría de imaginar las preguntas resulta menos útil en el examen de matemáticas, pero intento visualizar los problemas verbales como si fueran tiras cómicas también.

Al final de la semana, toda la escuela está mareada de tantas pruebas, por eso salimos ese viernes como si fuera el primer día de vacaciones de verano.

Me quedo mirando la televisión durante horas esa noche, apenas presto un poco de atención a los programas que pasan. No recuerdo haber estado tan cansado antes.

mareado

Mi mamá incluso me permite comer frente a la televisión, acción que por lo general está prohibida. Acepto agradecido el plato de pasta y pollo sin moverme de mi lugar en el sofá.

La mañana siguiente es nuestro último día de *Arctic Ninja*. Estoy un poco triste por ellos, pero mi papá parece muy animado cuando me deja en Global Games y me dice que tiene muchas cosas que hacer. Cuando le pregunto cómo va la búsqueda de trabajo, reflexiona durante unos momentos antes de responder.

animado

—De hecho, comencé a trabajar en un nuevo proyecto esta semana —aclara—. Algo nada más para mantenerme ocupado entre entrevistas.

Le pregunto de qué se trata.

—No vas a creerlo —dice papá—, pero empecé a trabajar en una novela gráfica.

No sé por qué me sorprende la noticia; mi papá sin duda es un hombre creativo, pero jámas me lo había imaginado como un autor de tiras cómicas.

—Nunca he sido el tipo de persona que se interesa en los cómics o en los superhéroes —continúa papá—, pero tal vez todos los videojuegos que hemos estado jugando me contagiaron. Por no hablar de lo divertido que resultó hacer esos guiones gráficos con tus amigos.

Le pregunto de qué se trata su novela gráfica y parece un poquito avergonzado cuando responde.

bárbaros

—Se trata de un grupo de bárbaros que se convierten en peces y crean un gigantesco acuario bárbaro. Puede sonar cursi, pero lo estoy disfrutando mucho.

Le digo a papá que me encanta la idea y le pregunto si puedo ver lo que ha hecho hasta ahora.

—Sí, pero sólo si me ayudas a dibujar algunos de los personajes —mi papá parece más positivo de lo que ha estado desde hace mucho tiempo. Es alguien que tiene que utilizar su imaginación para ser feliz. Se despide deseándome que tenga un buen último día.

—Muy bien, chicos —comienza Tom en cuanto nos instalamos en las sillas—, todos en Global Games queremos darles las gracias por la fantástica retroalimentación que nos dieron para *Arctic Ninja*. Tenemos algo para cada uno de ustedes.

cargado

Varios ayudantes aparecen como por arte de magia, cargados de bolsas de regalo con el logotipo de Global Games. Los gritos de alegría que dan los otros participantes me llegan antes que mi propia bolsa de regalo. Cuando el ayudante al fin me entrega la mía, también dejo escapar un grito de emoción.

La bolsa está llena de videojuegos, incluso de los que Umberto tiene. Desde *Ni no Kuni* hasta *Me & My Katamari, Uncharted, Portal 2* y *Lego Marvel Super Heroes*. La bolsa está rellena de suficientes juegos como para provocarle una embolia a cualquiera (¡es broma, mamá!).

Unos chicos se quejan de que algunos de los juegos considerados más "maduros" no están incluidos; sin embargo, yo no soy uno de ellos.

Tom también nos avisa que todos recibiremos una copia de *Arctic Ninja* cuando salga a la venta el próximo año.

trampas

—Nosotros podemos armar algunas listas de trampas y consejos para venderlas en línea —susurra Matt—; para que otros jugadores sepan dónde están todos los huevos de Pascua.

Le recuerdo que nuestro plan de vender una muñeca antigua en línea fracasó estrepitosamente y que me costó un montón de dinero. Luego levanto mi bolsa de regalos y digo que eso es suficiente recompensa para mí.

antiguo

—También implementaremos varias de las sugerencias que nos hicieron —Tom desliza su dedo sobre la pantalla de su iPad—. Nos encantó la idea de que el jugador pueda elegir contra quién de los malos quiere pelear al final. Pensamos que puede añadir una dimensión interesante a la parte más difícil del juego.

El chico resorte deja escapar un grito y brinca por toda la habitación. No sé qué hará con toda esa energía ahora que termine el grupo de prueba.

—También nos gustó la idea de añadir un eslogan y pensamos que "¡Relájate, zoquete congelado!" es muy divertido. Así que búsquenlo en la versión final también.

—Es gracioso —susurro—, ojalá se me hubiera ocurrido a mí.

Matt sale de su estado de *shock* antes de contestar.

—Ésa fue mi idea.

—¡Es increíble! —le digo—. Los chicos de todo el mundo dirán una línea que tú inventaste. ¡No lo puedo creer!

Matt levanta los puños al aire; está tan orgulloso que podría estallar.

—¿Qué opinan de empalar un último muñeco de nieve antes de partir? —nos pregunta Tom.

El grupo responde con un sonoro "¡Sí!".

evadir

Mientras trato de evadir carámbanos afilados por última vez, me doy cuenta de que jamás me había divertido tanto en una consola como con *Arctic Ninja*. Y cuando miro a Matt, Umberto y Carly, me da la impresión de que ellos también se sienten del mismo modo.

Antes de ir al almuerzo, Tom me llama para que hablemos.

—Derek, hay algo que quisiera hablar contigo —y me muestra las fotos de algunos dibujos en su teléfono; noto que son de mi cuaderno—. Tu papá me envió algunas ilustraciones que hiciste de los personajes de *Arctic Ninja*. Me encanta el narval que lleva puesto un sombrero; me parece que es muy original. Como una esponja que vive en una piña.

—¡Eso es justo lo que yo dije!

—¿Cómo se te ocurrió?

Me encojo de hombros y le digo que así funciona mi cabeza.

—La mía también —dice Tom—, por eso quería pedirte permiso para agregarle un sombrero al diseño final de Skippy. Sería una excelente manera de ocultar su cuerno.

Estoy seguro de que entendí mal lo que acaba de decir Tom.

—¿Estás diciendo que quieres usar mi narval para *Arctic Ninja*?

—Si a ti te parece bien —dice Tom.

La idea de mi diseño de narval con sombrero en millones de monitores de todo el mundo me deja mudo.

mudo

—Y en caso de que te interese, estoy organizando un taller de diseño de personajes en Burbank durante el próximo mes. Está dirigido a chicos de secundaria y creo que tú podrías sacarle mucho provecho —agrega Tom.

Cuando comenzó este grupo de prueba, me sentía el chico más estúpido del mundo. Hoy siento que quizá podría tener algo que aportar.

Sin embargo, hay algo más que quiero decirle a Tom antes de pedirle un lugar en su taller.

—De verdad siento mucho haberle contado sobre el juego a mi tutora. Fue muy amable de tu parte permitirme continuar en el grupo de prueba.

Tom sonríe y me da un golpecito en el brazo con los papeles doblados.

—Tu papá abogó muchísimo por ti. Es un buen hombre, pero tú ya sabes eso.

Y es cierto, lo sé.

Tom y yo nos dirigimos a la cafetería para un último mega banquete. Mientras trato de balancear dos pedazos de pastel de elote en mi plato, veo a Tom hablando con Umberto. ¿Querrá utilizar alguno de los diseños de Umberto también?

Me siento al lado de Tom mientras juega con la aplicación del juego de la *pizza* en el teléfono de Umberto.

—¿Tú solo diseñaste esto? —le pregunta Tom.

Umberto le dice que tomó una clase de programación el año pasado y que ha estado diseñando aplicaciones básicas desde entonces.

—Falso, sus aplicaciones no son nada básicas —interrumpe Matt—. Deberías mostarle el juego de bolos.

Umberto presiona el icono en su celular y el ruido e imagen familiar de una bola de bolos tumbando unos pinos inundan la pantalla. Tom desliza su dedo para lanzar la bola contra los pinos.

sobrepasar

—Las primeras veces es fácil sobrepasarte —le digo—, pero le tomas la medida bastante rápido.

Cuando Tom consigue una chuza, suelta un grito de emoción.

—Umberto, ¿crees que pueda interesarte cursar una pasantía con nosotros este verano? —le pregunta Tom—. Creo que tienes muchas buenas ideas.

Si Umberto pudiera saltar de su silla, estaría rebotando en el techo.

—¡Por supuesto! —contesta—. Claro que me encantaría.

Tom le pide a Umberto que no olvide dejar su número telefónico para que pueda ponerse en contacto con sus padres. Cuando un pasante viene por Tom, los tres ya no podemos controlar nuestra emoción. En medio de nuestra celebración, le cuento a los demás que Global Games quiere usar mi diseño de narval.

—¿El del sombrero? —pregunta Matt. ¡Es increíble!

—¡Somos estrellas de rock! —añade Umberto. Y envía mensajes de texto frenéticamente a su mamá y a su hermano, mientras Matt y yo nos alegramos por la buena fortuna de nuestro amigo.

—Esto nunca habría pasado si no nos hubieras invitado —agrega Umberto—. También tengo que agradecerle a tu papá.

contagioso

Le digo que yo no hice nada, lo cual es cierto, pero su felicidad es contagiosa, así que busco a Carly en la cafetería para compartirle las buenas noticias. Ella está formada en la fila del bufet, apilando una torre de *brownies* en una servilleta.

—¡No son todos para mí, lo juro! —exclama—. El Cid está muerto de hambre después de acumular 346 000 puntos.

alarmante

No sé qué será más alarmante, que alguien haya conseguido tantos puntos o que Carly ahora disfrute de la compañía de El Cid en el comedor privado. Por un momento, en mi mente aparece ese beso rápido y luego olvido mi plan.

Por suerte, Carly me ayuda.

—Vi a Tom hablando con Umberto.

Le cuento que Umberto pasará el verano en el campamento de Global Games; de mi narval y del taller de diseño de personajes de Tom. Carly me felicita y deja los *brownies* de El Cid sobre mi mano antes de correr a felicitar a Umberto.

El Cid debe de tener más hambre de la que calculó Carly, pues va a la cafetería para averiguar por qué se está tardando tanto. Carly le cuenta sobre la fortuna de Umberto. El Cid le dedica a Umberto una reverencia, como si fueran miembros de la corte del rey Arturo. Pronto toda la mesa sabe la noticia y luego la habitación completa. Es una gran manera de terminar nuestra aventura en Global Games.

Estoy tan ocupado celebrando que no noto que El Cid está a mi lado. Me hace un gesto con la cabeza y luego extiende la mano. Lo miro en silencio, sin comprender, hasta que señala los *brownies*. Tomo el primero del montón, me lo meto entero a la boca y le entrego el resto. No puedo estar seguro, pero creo que El Cid acaba de sonreír debajo de su voluminoso casco.

voluminoso

## Hannah ataca de nuevo

*E*n las semanas siguientes, sólo hablamos de cuánto extrañamos el grupo de prueba de Global Games. Fue genial ser parte del juego de moda del año próximo. Para llenar el vacío, paso la mañana del sábado con Frank y Bodi viendo viejos *westerns* en la televisión.

Mamá revisa el correo en la mesa de la cocina, mientras mi papá vacía el lavaplatos. De pronto se queda parado frente a la mesa con una pila de platos en las manos, petrificado.

—Creo que los caballitos de mar se ven mal en la cocina —anuncia.

—Tienes mi completo y total permiso para pintar encima —dice mi mamá.

Después mi mamá abre una carta del montón.

—Derek, ¿recuerdas a Hannah? Quiere que le demos una buena referencia para su próximo trabajo.

referencia

—¡Qué! —exclamo y por poco derramo mi plato de Conde Chócula, lo cual altera a Frank dentro de su jaula.

Mi papá se lleva un dedo a la boca señalándome que guarde silencio. Entiendo que nunca le contó a mamá sobre la diatriba de Hannah diciéndome que soy un perdedor. Mamá sigue estudiando la carta, del todo ajena a la conversación secreta que papá y yo tenemos a sus espaldas.

diatriba

—Hannah debe tener amnesia —dice mamá—. ¿Ya olvidó que no nos avisó que estaría fuera de la ciudad durante más de una semana? —tira la carta al bote de basura y, al sonar su celular en la otra habitación, corre a contestarlo.

amnesia

—No puedo creer que no le hayas dicho a mamá lo grosera que fue Hannah.

—Claro que no lo hice. Hubiera sacado a Hannah a rastras de la casa.

Mi papá y yo ya hemos visto a mamá enojada suficientes veces.

furia

—Es una verdadera mamá leona —le digo—, pero tal vez Hannah merecía probar un poquito de la furia de mamá.

—La verdad, no tenía ganas de rescatarla de la cárcel —bromea papá—. Me refiero a tu madre, no a Hannah.

—Hannah estaba equivocada sobre ti —dice papá—. Global Games usará el diseño de tu narval. ¡Eso es enorme! Si tengo suerte, me darás algunas ideas para los bárbaros de mi novela gráfica.

Le agradezco el cumplido, pero tanto papá como yo sabemos que él nunca necesitará mi ayuda en nada que tenga que ver con arte.

—No te pedí permiso para enviarle tus bocetos a Tom —dice papá—, pero resultó bien al final, aunque debí preguntarte antes de hacerlo.

Le digo que estoy muy contento de que lo haya hecho. También le doy las gracias por hablar con Tom para que me dejara quedar en el grupo de prueba.

Mamá termina su llamada telefónica y regresa a su enorme montón de correo. Esta vez, cuando levanta un sobre, guarda silencio.

—¿Acaso son...? —pregunto.

Asiente y me entrega el sobre.

—Los resultados de los exámenes estatales. ¿Por qué no lo abres?

—¿Bromeas? Estoy bastante nervioso. Mejor hazlo tú.

Mamá abre el sobre con tranquilidad y me entrega la carta sin mirarla.

—¿No me la puedes leer?

Su rostro permanece inexpresivo.

inexpresivo

—Eres capaz de leerla tú.

Mamá nunca me deja en paz cuando se trata de leer. Miro a papá, asiente para animarme. Tomo la carta y me acomodo en la silla, sintiendo náuseas y preocupación. Leo la carta sin atención hasta que al fin llego a los resultados.

—¡No estoy en el grupo más bajo! —el alivio me golpea como una ola gigante en la playa.

—Te dije que tanto trabajo duro daría buenos resultados —dice mamá.

agotamiento

Mi papá me jala hacia sí para darme un abrazo, y mamá se nos une hasta que caigo de nuevo en la silla por el agotamiento nervioso. Siento que me libero de una maldición que se prolongó durante meses. Es

liberarse

cierto que trabajé duro, pero no sólo eso, también lo hice de modo inteligente. Tras años de golpearme la cabeza contra la pared académica, por fin entendí que tengo que encontrar mi propio método de aprendizaje. Puede que no sea el "cuchillo más afilado en el cajón" en la mayoría de las cosas, pero hay un tema en el que soy el mayor experto de todo el mundo: yo. Averiguar la manera de utilizar mis habilidades de juego para ayudarme a estudiar funcionó. Supongo que el resto de mi vida tendré que dedicarme a encontrar nuevas maneras para dominar tareas difíciles. Pero por ahora...

Estoy saltando sobre mi patineta rumbo a casa de Matt.

¡La victoria es mía!

## No puedo creer lo que veo

**R**esulta que a todos nos fue muy bien, incluso a Amanda. Ella vino de visita desde San Diego para ver un espectáculo en el Pantages con Carly este fin de semana, y las dos me enviaron un mensaje de texto para invitarme a desayunar con ellas.

La mesa está llena de *bagels*, hay tres tipos de queso crema y una gran jarra de jugo de naranja. Amanda no puede dejar de decirme cuánto le ayudó mi técnica del guion gráfico durante las pruebas.

—Había una pregunta sobre arrecifes de coral, y yo me imaginaba a los peces de *Buscando a Nemo* mientras lo leía —dice Amanda—. Estoy segura de que tuve bien todas las preguntas de ese ensayo.

coral

mosaico

abstracto

desarrollar

Después de comer, Carly nos muestra el mosaico en el que ha estado trabajando en la habitación de invitados de su casa. Es un enorme rectángulo de madera lleno de pedazos de vidrio de colores que forman un patrón abstracto.

Las únicas piezas de arte de Carly que había visto antes eran los trabajos que hacía en clase; no tenía idea de que se había desarrollado como una gran artista por su cuenta.

—¿Crees que podrías hacer uno para mí? —le pide Amanda—. Me encantaría algo así para mi cuarto.

Carly le dice que por supuesto.

—Oigan, ¿qué tal si jugamos un poco de *Rayman Legends?* —pregunta Amanda.

Nadie tiene que pedirme dos veces que juegue: es uno de mis videojuegos favoritos en la vida.

Me excuso para usar el baño mientras ellas se dirigen a la televisión.

Me veo en el espejo del baño y me alegro de que Matt no esté aquí para burlarse de mí por pasar el día con dos chicas. En mi camino de regreso a la sala, me detengo en la habitación de invitados de Carly para echarle un último vistazo a su mosaico. El vidrio está cortado de manera uniforme y cada una de las piezas tiene una perfecta simetría. Ésa es una de las virtudes de Carly: se toma muy en serio cualquier cosa que hace.

simetría

Amanda seguro se está quedando en esta habitación porque hay una maleta con ruedas junto a la cama y una pila de ropa en el suelo (me parece que Amanda es tan desordenada como yo). Una camiseta de Donkey Kong adorna la cima del montón. Sé que hurgar entre las cosas de otras personas no es de buena educación, pero el cubo de Rubik en la mesilla de noche me está llamando. Le doy vuelta a los cuadrados de colores, para tratar de alinearlos hasta que descubro la bolsa: de plástico de Trader Joe's en la esquina del armario.

Dejo caer el cubo al suelo. Vislumbro algo que se asoma de la bolsa: no puede creer que esté allí. Me acerco de puntitas hacia el armario para ver más de cerca.

Dentro de la bolsa están la capa, el casco y los guantes de El Cid. No son réplicas de su disfraz, sino el disfraz verdadero.

—¿Qué está pasando aquí?

Carly y Amanda debieron escucharme, pues entran corriendo.

fisgón

—¡No puedo creer que seas tan fisgón! —grita Carly.

—Tal vez soy un fisgón, pero no soy un mentiroso. ¿Amanda es tu prima o no? —entonces me dirijo a Amanda—. ¿Tú eres El Cid?

Amanda cierra la bolsa de Trader Joe's y la empuja hasta el fondo del armario.

—Quisiera que Amanda y yo fuéramos primas —dice Carly al final—. Nos conocimos en el grupo de prueba.

—Así que esto significa... —espero a que Amanda me responda.

girar

Ella gira su cubo de Rubik.

—No lo sé, ¿lo soy?

—¡Vamos! —le grito—. ¡Esto es muy importante para mí!

Amanda termina el cubo en un tiempo récord y se sienta en la cama.

—Todo comenzó porque mis hermanos no me dejaban jugar con ellos. Practiqué mucho por mi cuenta para que jugáramos juntos, entonces descubrí que era buena.

—¡Bastante buena! —exclamo—. ¡Eres la jugadora uno de PlayStation del mundo!

—Tengo cuatro hermanos; mi infancia fue bastante competitiva.

Carly recoge el cubo de Rubik y lo revuelve de nuevo.

—Le dije que sus hermanos estarían orgullosos de ella. No tiene sentido seguir ocultando la identidad de El Cid.

Siempre me quedo asombrado ante las diferentes reacciones de la gente a las mismas cosas.

Si yo fuera el jugador más importante del mundo, me aseguraría de que lo supiera hasta el cartero.

—Yo sigo pensando que Amanda debe admitir que ella es El Cid, sobre todo en un deporte dominado por los hombres.

dominado

—La gente se sorprendería, eso seguro —digo y me encanta que Carly se haya referido a los videojuegos como un deporte.

—Me convertí en jugadora para poder pasar tiempo con mis hermanos —dice Amanda—, pero descubrí que me gustaba tener algo que fuera sólo mío —saca el disfraz de El Cid del armario—. Soy una fanática total, y El Cid era una forma genial de tener una identidad secreta.

—Matt y Umberto jamás lo creerán.

—¡Espera, espera, Derek! —exclama Amanda—. ¡No puedes decirles nada!

—Por eso no quise decir nada.

Carly actúa como si yo no estuviera en la habitación. Seguro que nota en mi rostro que me hizo sentir mal, porque su expresión se suaviza de inmediato.

—Ése es el motivo por el que te lo oculté. Si alguien en el grupo de pruebas se hubiera enterado, la identidad de Amanda habría sido revelada.

—¡Yo jamás le habría contado a nadie!

—¿En serio? —Carly cruza los brazos.

—¡De qué hablas, Carly! —le grito—. ¡Soy muy capaz de guardar un secreto! ¡Incluso las cosas que le conté a Hannah sobre *Arctic Ninja* ni siquiera fueron parte de lo que se filtró en Internet!

En cuanto las palabras salen de mi boca, me doy cuenta de que acabo de meter la pata de manera espectacular.

—¿Le contaste secretos de *Arctic Ninja* a tu tutora? —me pregunta Carly—. ¿Y luego me preguntas por qué no te conté nada sobre El Cid? Eres uno de mi mejores amigos, Derek, pero seamos sinceros, también eres un bocón.

bocón

De repente estaba ante un enorme muro de verdad. Después de pasar tanto tiempo preocupándome de que Hannah soltara la sopa, supongo que no me había dado cuenta de que lo hice yo primero.

—Bueno, tal vez sí le hubiera contado a Matt y a Umberto sobre Amanda. Y ellos se lo habrían contado a otras personas.

—Por lo menos lo admites —dice Carly.

Me dirijo a Amanda.

—¡En serio no entiendo por qué sigues ocultando la verdadera identidad de El Cid! Estoy de acuerdo con Carly. Pienso que es hora de que digas la verdad.

Amanda nos responde que va a pensarlo. Tomo el cubo de Rubik de las manos de Carly, y ella y Amanda me miran mientras lucho contra él un rato antes de darme por vencido.

—Tengo un par de preguntas para ti, si no te importa —le digo—. ¿Por qué todos piensan que El Cid es un chico de Perú que estudia en el MIT?

—Amanda quisiera poder entrar al MIT —bromea Carly.

—Ni siquiera he visitado Perú —responde Amanda—. Alguien en Internet comenzó ese rumor y dejé que se extendiera. Suena más emocionante que una niña de doce años que vive en San Diego.

—¡Quien además sabe surfear! Iremos juntas el próximo fin de semana. Si quieres ven con nosotras —Carly, la genio, sabe lo que estoy a punto de decir y me interrumpe antes de que lo haga—, pero tienes que prometer que no le dirás nada a Matt y a Umberto. ¿Está bien?

generoso

Miro a Carly, la amiga más generosa y fiable que tengo. Ella siempre ha hecho todo por mí, así que por más jugoso que sea este secreto, tengo que ceder. Además, con mi mala suerte, seguro que si se lo cuento a alguien, la noticia estaría inundando toda la red cinco minutos después.

—Está bien —les digo—, pueden contar conmigo.

Quizá no soy el chico más listo de la escuela, pero soy lo suficientemente inteligente como para saber que no me conviene meterme con este par.

Amanda me sonríe.

—Creo que un poco de videojuegos es la mejor manera de sellar el trato.

Me dirijo a Carly.

—Me parece que es momento de sacar uno de los juegos retro.

Ella se frota las manos como el malo de una película.

—Estoy pensando en *Ms. Pac-Man* en el viejo Atari.

Matt y yo nunca jugamos *Ms. Pac-Man* porque nos parece un juego de niñas, pero esta vez las chicas en definitiva me superan en número: dos contra mí.

contra

Mientras bajamos al sótano para buscar la vieja consola, le hago a Amanda un montón de preguntas. ¿Cuál es el puntaje más alto que ha conseguido en un juego? Unos increíbles 527 988 puntos. ¿Acaso Tom conocía su verdadera identidad? Sí, pero sólo él y la mamá de Amanda la conocen. Tom ofreció el comedor privado para ayudarla a mantener en secreto la identidad de El Cid. ¿Su nombre es Amanda o también es falso? Es Amanda. ¿Cuál era su opinión profesional de *Arctic Ninja?* Le parecía que los gráficos eran buenos, pero el juego era un poco lento. ¿Habían elegido algo de su larga lista de recomendaciones para el juego? La de agregar un malo más difícil al final del juego.

Conservo la pregunta más importante para el final.

—¿Dejaste que Carly y yo ganáramos en el juego de equipo?

Amanda mete la mano en su bolsillo y saca un paquete de chicles. Se lleva uno a la boca y me lanza otro.

—Dejé que Carly ganara —responde después de un momento—. Y tú estabas en su equipo. Pero lo del bacalao en inglés y el código lo descubrieron ustedes; yo no lo supe sino hasta mucho después.

decepción

Tendría que haber sabido que nunca en mi vida podría ganarle a un jugador como El Cid. Amanda seguro nota que estoy muy decepcionado, porque de inmediato dice cuánto la ayudé a pasar los exámenes.

—Derek nunca se da cuenta de lo grandioso que es —dice Carly—. Tiene un millón de ideas geniales.

—Un millón son demasiadas —respondo—, pero de verdad me alegro de haber podido ayudarte en algo.

Carly me pone un control en la mano.

—¿Listo para perder como nunca has perdido en tu vida?

Señalo a Amanda.

—Pero esta vez nadie deja ganar a nadie, ¿entendido?

—Entonces prepárense para ser aniquilados —dice Amanda.

aniquilado

Corro a la habitación de invitados y salgo a los pocos minutos llevando puestos el casco, los guantes y la capa de El Cid. Amanda y Carly se ríen.

—Voy a vencerlas —les advierto con mi mejor voz de Darth Vader.

—Lo dudo mucho —Amanda presiona el botón de *play* y comienza a jugar.

El casco no ayudó. Perdí como nunca.

## Game over

Mi mamá va a la casa por un suéter y se sorprende al encontrarnos a mis amigos y a mí alrededor de la mesa de la cocina. Le presento a Amanda, a quien aún no conocía. Mamá se lava las manos antes de saludarla.

Cuando mi mamá regresa a su consultorio, abro mi *laptop* y giro la pantalla para que todos podamos verla.

—¿Segura? —pregunto a Amanda.

Carly mira a su "prima", expectante. Umberto y Matt también esperan la respuesta de Amanda.

No revelar la identidad de El Cid a dos de mis mejores amigos resultó una de las cosas más difíciles que he hecho. Y después de ver lo decepcionado que estaba Tom cuando le dije que le había contado los secretos del juego a Hannah (por no hablar de los problemas en los que me pude haber metido por hacerlo) entonces decidí aprender algo de uno de mis muchos errores. Cuando Amanda quiso al final dejarle saber al mundo quién era El Cid, ella y Carly me permitieron hacer los honores. La expresión en el rostro de Matt y de Umberto cuando les conté todo ayer casi hizo que valiera la pena la espera.

Amanda deja escapar un suspiro.

—He estado posponiendo esto durante demasiado tiempo. Hagámoslo. ¡A mis hermanos les va a dar un patatús!

patatús

—O te querrán aún más —dice Carly, para darle ánimos.

Carly siempre sabe encontrar el lado positivo de las cosas. El dedo de Amanda se detiene sobre el teclado.

—¡Vamos! —la anima Umberto—. ¡El mundo quiere saber la verdadera identidade El Cid!

Amanda de pronto parece triste.

—Es que me gustaba mucho tener un secreto. Será diferente ahora.

—Sí —dice Matt—. ¡Todo el mundo sabrá que las chicas patean traseros!

—No tienes que hacer esto ahora —le dice Carly—. ¿Quieres tomarte unos días para pensarlo mejor?

Una sonrisa se extiende por el rostro de Amanda e ilumina su mirada.

—Es como saltar al mar helado sin tu traje de neopreno. Sólo hay una manera de hacerlo —mira a Carly y se sonríen.

—Uno, dos, tres, ¡al agua! —sin dudarlo, Amanda golpea el botón de *enter* en el teclado, envía una foto de sí misma sentada frente a mi PlayStation con una puntuación de más de 220 000 y sostiene el casco de El Cid.

consecuencias

Las consecuencias se ven durante las siguientes horas.

Primero, un sitio de juegos japonés sube la foto de Amanda cientos y cientos de veces. Luego, las salas de chat de Sony difunden la noticia. El teléfono de Amanda no deja de sonar y recibir nuevos mensajes de texto. A lo largo de la tarde, Umberto navega de un sitio a otro, informándonos de las diversas respuestas (es lo más divertido que ha hecho en años).

—Este blog dice que eres la chica *gamer* más *cool* del mundo. Otro más dice que eres una campeona —Umberto continúa navegando en la red—. Apuesto a que tendrás un montón de solicitudes de entrevistas antes de que acabe el día.

campeón

—Y una docena de nuevos desafíos para El Cid —Amanda sostiene su teléfono para que podamos ver los mensajes de texto que están llenando su pantalla—. Éstos son sólo de mis hermanos.

Carly lee y suelta una carcajada.

—Te dije que estarían muy orgullosos.

—Sí, si es que no me aporrean antes... en la consola, claro.

aporrear

Meto unas cuantas bolsas de palomitas al microondas para disfrutarlas con mis amigos mientras ayudamos a Amanda a sobrevivir a esta tarde tan agitada.

—¡Somos amigos de El Cid! —me susurra Matt—. ¿Sería muy *nerd* de mi parte tomar notas la próxima vez que juguemos con ella?

agitado

—Yo no sé si sea *nerd*, pero es cierto que no suena divertido —le entrego un tazón de palomitas de maíz para que lo pase a los demás.

Cuando voy al estudio para buscar el cable de mi *laptop*, Carly me sigue.

—La vida de Amanda se convertirá en una locura —dice Carly—, pero seguro que será divertido.

patrocinador

—Amanda incluso podría conseguir un patrocinador —hago como si fuera mi idea, pero la verdad es que se le ocurrió a Matt.

Encuentro el cable de mi computadora escondido debajo de una sudadera de mi papá. Luego veo a Carly, que está a mi lado, cerca de un librero.

Entonces pienso que Amanda fue muy valiente hoy; ahora me toca a mí. Me acerco y rápidamente le doy a Carly un beso en la mejilla. Parece tan nerviosa como yo cuando ella me besó.

—Eh... Me alegro de que hayas encontrado el cable —tartamudea Carly.

—Sí, lo sé. Odio cuando mi computadora se queda sin batería.

—Yo me vuelvo loca si la energía de mi batería desciende por debajo de un quince por ciento —dice Carly.

—¡Yo también! Siempre me preocupo de que voy a perder mi trabajo.

Carly y yo de manera oficial estamos teniendo la conversación más frívola en la historia del mundo, pero cuando nos dirigimos de nuevo a la cocina, ella me toma de la mano. ¿Quiere que nos demos la mano o trata de ayudarme a llevar el cable de mi computadora? ¡No estoy seguro! Me siento tonto y emocionado al mismo tiempo. Amanda puede haber renunciado a su identidad secreta hoy, pero ahora yo tengo un secreto. Mi mente corre a toda velocidad, preguntándose si mis amigos en la mesa podrían darse cuenta de que hubo un cambio sísmico en el chico antes conocido como Derek Fallon.

sísmico

Cuando estoy a punto de caer en una de mis picadas mentales, Matt me grita con fuerza desde el otro lado de la habitación.

picada

—¡Relájate, zoquete congelado!

Es un buen consejo, en realidad.

# Índice

Impreso en los talleres de
Grupo Gráfico Editorial, S. A. de C. V.
Calle B, núm. 8, Parque Industrial Puebla 2000,
C. P. 72225, Puebla, Puebla, México.
Septiembre de 2022.